W9-BUL-030

RONALD

Ronald

La Colección de L. Ronald Hubbard

BRIDGE PUBLICATIONS, INC.
5600 E. Olympic Blvd.
Commerce, California 90022 USA

ISBN 978-1-61177-693-5

Se agradece de manera especial a la L. Ronald Hubbard Library por el permiso para reproducir las fotografías de su colección personal. Reconocimientos adicionales: pp. 1, 7, 29, 67, 85, 103, contracubierta Dman/Shutterstock.com; pp. 19, 22, 25, 38, 55, 58, 73 kanate/Shutterstock.com; p. 8/ Hulton Archive/Getty Images; p. 10 Craig Hanson/Shutterstock.com; p. 11 National Archives; p. 13 Michael Ochs Archives/Getty Images; p. 14 Jim Daly Photography Studio; p. 29 SuperStock/Getty Images; p. 66 Jay M. Pasachoff/Getty Images; p. 68 La División de la Biblioteca del Congreso en Washington, D.C. División de Imprenta y Fotografías; pp. 74, 81 Derek R. Audette/Shutterstock.com.

Impreso en Estados Unidos

The L. Ron Hubbard Series: Restoring Honor & Self-Respect – Latam Spanish

RONALD

Ronald

La Colección de L. Ronald Hubbard

FILÁNTROPO
RESTAURANDO EL HONOR Y LA AUTOESTIMA

Bridge
Publications, Inc.®

CONTENIDO

Una Introducción a
L. Ronald Hubbard

"Tenemos las respuestas al sufrimiento humano", declaró con toda verdad L. Ronald Hubbard, "y están disponibles para todos". Habló específicamente de un medio para sustituir la intolerancia con la bondad, la criminalidad con la decencia, la degradación con la dignidad y el honor. En pocas palabras, habló de todo lo que se puede alcanzar con sus herramientas para la ética personal, con su código moral no religioso, *El Camino a la Felicidad,* y por tanto todo lo que él representó personalmente como nuestro filántropo más prominente.

Como fundador de Dianética y Scientology no hay sector de la sociedad que no se beneficie de las obras de L. Ronald Hubbard. Ya que con estos temas llegan verdades que abarcan toda la existencia. Sin embargo, tomando en cuenta el gran número de quienes han sido conmovidos por sus escritos sobre la conducta humana ideal, literalmente decenas de millones, uno simplemente no puede hablar de la ética y la moralidad modernas sin mencionar a LRH.

La forma en que Ronald llegó a tratar todos estos temas y el impacto mundial de sus descubrimientos es, por supuesto, el tema de esta publicación. Sin embargo, deben comprenderse algunos fundamentos desde el principio. En primer lugar, cuando hablamos de lo que LRH aportó al campo de la ética, hablamos de una *Tecnología* de la Ética, un sistema completo para el mejoramiento ético. En el núcleo de este sistema hay una visión amplia de la ética como racionalidad hacia el más alto nivel de supervivencia para *todas* las cosas. Por tanto, la ética se convierte no en una abstracción, sino en una herramienta funcional mediante la cual aseguramos la prosperidad, la felicidad y la supervivencia a lo largo de todo medio de existencia.

La forma en que se utilizan estas herramientas conlleva otro descubrimiento de LRH, que se relaciona con los diversos estados o condiciones de ética que determinan el grado de éxito con el que uno sobrevive. Es decir, uno puede estar sobreviviendo bastante bien de acuerdo al propio nivel de conducta ética, pero todavía es posible un mejoramiento mucho mayor. En consecuencia, encontramos lo que LRH definió como las Condiciones de la Existencia y sus fórmulas, paso a paso, mediante las cuales estas condiciones pueden mejorarse.

"No admitiré que haya un hombre en la Tierra que sea malvado por naturaleza" –L. Ronald Hubbard

El punto más enfático es que con la tecnología de LRH, la ética ya no es un tema contemplativo para un obtuso debate sobre el bien y el mal. Es una fuerza para el bien, viva, que respira, y que tiene una aplicación real a cada aspecto de nuestras vidas. Asimismo, con *El Camino a la Felicidad,* la "moralidad" ya no es una palabra más que está de moda para los aspirantes políticos y para los debates en programas de radio. Es un arma para combatir todos los males de un siglo XXI que está al borde de un abismo moral, los que incluyen: violencia urbana, infidelidad doméstica, voracidad empresarial, corrupción política e incluso conflictos internacionales. Además, *El Camino a la Felicidad* de L. Ronald Hubbard, ofrece la respuesta singular al crimen y a las cárceles sobre pobladas. (Hay millones de encarcelados tan sólo en Estados Unidos).

"Tenemos las respuestas al sufrimiento humano y están disponibles para todos".

Es incuestionable, entonces, que este camino hacia el honor y la autoestima restaurados, como lo trazan los descubrimientos de LRH, es un camino de enorme importancia. Es también un camino lleno de fascinación que, va desde la cúspide de la filosofía occidental hasta las raíces de la desesperación postindustrial. A lo largo del camino, encontramos a Ronald enfrentándose a tripulaciones compuestas de verdaderos asesinos en el Atlántico Norte, realizando estudios sociológicos avanzados en la parte sur de Manhattan y cumpliendo con una ronda particularmente peligrosa como Oficial Especial para el Departamento de Policía de Los Ángeles. Sobra decir que también encontramos a un L. Ronald Hubbard muy compasivo, que aunque afirmó que algunos hombres de hecho pueden representar una amenaza para la sociedad, declaró lo siguiente: "No admitiré que haya un hombre en la Tierra que sea malvado por naturaleza".

No obstante, y como Ronald lo predijo acertadamente, este mundo ha sido testigo de una crisis moral y ética de dimensiones monstruosas; en primer lugar mediante los siempre crecientes índices criminales y la correspondiente escala ascendente de esfuerzos por hacer cumplir la ley, y luego un sistema penitenciario inalterable que encarcela a más hombres y mujeres que ninguna otra sociedad en sus esfuerzos por controlar el crimen. (Para citar otra estadística reveladora, en un lapso de apenas diez años el estado de California construyó veintiún prisiones nuevas, mientras que un solo condado del estado de Nueva York vio nacer otras cinco instalaciones en exactamente el mismo tiempo).

Mientras tanto, entre aquellos que según las estadísticas son propensos a ser encarcelados, se encuentra el 20 por ciento de todos los estudiantes adolescentes que llevan armas a los salones de clase y la mitad de los estudiantes estadounidenses de nivel preuniversitario que admiten sin reparo que mentirían, engañarían, falsificarían cuentas de gastos o lucrarían ilícitamente si los beneficios superaran los riesgos. Como consecuencia de lo anterior encontramos todo lo que este mundo ha atestiguado en cuanto a prácticas corporativas abusivas, corrupción y la desconfianza que siente el público hacia la cúpula del poder político. Y para colmo: al ver que se gastan cerca de cincuenta mil millones de dólares anualmente en establecimientos correccionales en Estados Unidos para albergar un total de presos que equivalen a la población combinada de Atlanta, Denver, Nueva Orleans, Saint Louis, Pittsburgh, Cleveland, Des Moines y Miami; y al ver que más de la mitad de esos reclusos vuelven a ser arrestados unos tres años después de ser puestos en libertad, uno lógicamente se pregunta: ¿existe la probabilidad de que algo falte en este campo de la ética, la justicia y la moral?

La reacción oficial ha sido vociferante pero en su mayor parte inútil: referéndums políticos para restituir un plan de estudios moral en nuestras escuelas (sin importar que no se defina), castigos más severos para delitos empresariales, sentencias carcelarias obligatorias para docenas de otros crímenes y la construcción de más prisiones. Para justificar sus posiciones en este sistema multimillonario de justicia, los psicólogos y psiquiatras han confeccionado toda una gama de frases engañosas como: *tendencia violenta debida a cromosomas, trastorno sociopático* e *inclinación genética a la violencia* (lo que es inherentemente racista). Como veremos, esa manera de pensar no es sólo irrelevante, es parte del problema y de la razón por la cual es tan significativo que L. Ronald Hubbard hablara de este camino al honor y la autoestima en términos de devolverle al hombre "algo de la felicidad, algo de la sinceridad y algo del amor y la bondad con las que fue creado". ■

CAPÍTULO UNO

El Hallazgo del Camino HACIA LA AUTOESTIMA

El Hallazgo del Camino hacia la Autoestima

No hay ningún criminal en el mundo, nos dice L. Ronald Hubbard, cuya vida criminal no pueda remontarse al momento en que perdió la autoestima. Y si le preguntáramos al criminal qué significa una pérdida de la autoestima, escucharíamos inevitablemente la frase más lastimera que se pueda imaginar: "Un día descubrí que no podía confiar en mí mismo".

La forma en que Ronald llegó a reconocer la importancia de esta declaración y sus mayores implicaciones en lo que concierne a todo lo relacionado con el crimen y el castigo, es una historia bastante amplia. Porque cuando se habla de criminalidad y de la pérdida de la autoestima, explica, uno está hablando de un ser espiritual que ha traicionado básicamente su propia esencia, que ha roto el único contrato que no debe romper: *el contrato consigo mismo.*

Como entrada a ese campo, sin embargo, a manera de palabras preliminares por así decirlo, él menciona un incidente al parecer insignificante del verano de 1926. Los detalles son estos: habiéndose incorporado a los guardabosques del estado de Montana para ayudar a hacer zanjas para evitar incendios, Ronald, que en aquel entonces tenía trece años, pronto se encontró trabajando con varios jóvenes que habían llegado recientemente de la penitenciaría estatal de Joliet, en Illinois. Por ello, como lo expresa, uno se topaba con todo tipo de complicaciones interesantes, sin embargo, por extraño que parezca, la verdadera perversidad era rara. Y concluyó: tampoco había falta de integridad, como lo dejó bien claro el convicto que condujo doscientas millas en un vehículo *robado* para devolverle a Ronald un par de botas prestadas. Pero en todo caso, añadió, los que pertenecen a la sociedad criminal "tienen formas extrañas de 'hacer negocios' en la vida".

El siguiente incidente de importancia, que demostró ser clave, ocurrió en 1935. El año anterior se habían vendido los primeros cuentos de Ronald a editores en Nueva York y eso representó su entrada

Washington, D.C., 1924: el distinguido boy scout que pronto supervisaría a equipos de jóvenes delincuentes que ayudaron a hacer zanjas para evitar incendios en los bosques de Montana

Abajo prisión de Sing Sing, 35 millas al norte de Manhattan a orillas del río Hudson. Habiendo visitado esta prisión en 1935, LRH posteriormente redactó una poderosa denuncia sobre la silla eléctrica y la inhumanidad de la encarcelación.

en las filas de la ficción popular estadounidense. Aunque se le conoce mejor por sus cuentos de aventuras extraordinarias, también producía novelas del oeste, de romance y un gran número de historias de detectives muy bien elaboradas. Durante la investigación que hizo para escribir sus novelas de detectives, acabaría entrevistando a todo un conjunto de profesionales responsables del cumplimiento de la ley, incluyendo policías, médicos forenses e investigadores federales. Pero lo que, sin duda, se mantendría indeleble, sería la visita a la penitenciaría de Sing Sing, en el estado de Nueva York, que hizo con su colega, el escritor Arthur J. Burks.

Sus impresiones se reflejaban en diversos escritos, pero sobre todo destaca un manuscrito inédito de 1938 titulado "Excalibur". Contiene la primera descripción de los descubrimientos que llevarían directamente a Dianética, y perdura como la primera explicación definitiva del concepto de "Sobrevivir" como el común denominador de toda vida. Esto significa que, sin importar cuán variado fuera el comportamiento de una forma de vida con respecto a otra, todas sólo buscaban básicamente sobrevivir. (De aquí proviene el punto de vista posterior de la ética como racionalidad hacia el nivel más alto de supervivencia para todas las cosas).

Pero a partir de esa revelación central hay capítulos sobre la forma en que el impulso hacia la supervivencia se refleja en el gobierno, las finanzas, la educación, las artes y la reforma criminal... Y a través de su ensayo sobre este tema, L. Ronald Hubbard nos proporciona una escalofriante denuncia de la vida y la muerte en Sing Sing.

En primer lugar, escribe, la prisión no reforma nada, y lo único que uno aprende en una jaula es que se ha convertido, de hecho, en un animal. En segundo lugar, la prisión de ninguna manera constituye justicia. Y de hecho, "No hay un solo hombre en la Tierra con suficiente capacidad mental como para impartir justicia". Finalmente, y esto es en respuesta a una cuidadosa inspección de la silla eléctrica: "La vida de cada hombre le pertenece a él mismo, y sólo a él mismo. Sus días en la Tierra son breves, su felicidad es limitada. En su contra están todas las formas de enfermedad, hambre, fracaso en los negocios, ruina, muertes de sus amigos y un millón de cosas más.

"A esto, el estado no tiene ni el derecho ni el poder de añadirle venganza y llamarla JUSTICIA".

Para dejar bien claro este concepto, nos presenta un relato impactante de una ejecución, comenzando con la colocación del casco de cobre sobre la cabeza afeitada y concluyendo con el pronunciamiento de rutina del médico encargado: "Bien, está tieso". Los detalles incluyen: el condenado invariablemente echará un vistazo a las mesas de autopsia (que son cóncavas para recibir la sangre), y al ataúd donde su cuerpo descansará. El verdugo recibe trescientos dólares por la ejecución, pero debe encargarse del mantenimiento de la maquinaria. La fuerza de la sacudida a menudo hace que se desprendan las cintas del pecho mientras la corriente continúa fluyendo durante un periodo que llega a durar veinte minutos. A modo de comentario adicional, durante una conversación posterior observó que la experiencia le había parecido en extremo repulsiva: "No nos sentimos con ganas de hacer nada durante cerca de una semana" y luego en otra parte concluyó que el encarcelamiento es, en gran medida, la antítesis de la rehabilitación. Más bien, "abate a los hombres, ¡acaba con ellos!".

Izquierda
Portland, Oregon, 1943: debido a una aguda escasez de marineros hábiles, el entonces Teniente L. Ronald Hubbard enlistó marineros incorregibles de una prisión naval y los transformó en una tripulación de combate muy hábil

Después, durante cierto periodo, Ronald habló de estos temas sólo esporádicamente, como por ejemplo en una nota revisada para el manuscrito de "Excalibur": un hombre no es necesariamente una amenaza para la sociedad simplemente porque cometa un crimen. "Se convierte en una amenaza sólo cuando tiene que compensar con peligrosidad su propia pérdida de prestigio". Para finales de 1942, sin embargo, sus ideas sobre el crimen y el castigo ya habían empezado a asumir una metodología funcional.

De nuevo las circunstancias requieren unas palabras de explicación. Habiendo entrado a la Armada de Estados Unidos en 1941, y habiendo sido testigo de arduos combates en el Pacífico Sur, el ahora teniente Hubbard regresó a aguas estadounidenses para asumir el mando de una corbeta que se había aparejado para la guerra, cuyo objetivo era proporcionar cierta medida de resistencia a lo que se había convertido en una amenaza devastadora: los submarinos alemanes. Sin embargo, las embarcaciones de esta "armada tipo Pato Donald" estaban tan precariamente equipadas, que la política no oficial de la marina era dotarlas sólo de tripulaciones desechables. Consecuentemente, L. Ronald Hubbard se encontró de inmediato frente a un centenar de reclutas recién traídos de la Prisión Naval de Portsmouth en Maine. La primera impresión de Ronald fue, un grupo de aspecto sanguinario: "Sus galones estaban sucios y sus hamacas negras de mugre". En una investigación posterior, descubrió que ninguno de ellos había subido a bordo sino para salvarse de una condena de prisión.

Abajo
La Prisión Naval de Portsmouth donde Ronald reclutó marineros que habían estado sujetos a consejo de guerra, para su rehabilitación y entrenamiento náutico

Sin embargo, como primera orden del día, LRH ceremoniosamente ignoró sus hojas de servicio. Literalmente las echó en un saco de correo y depositó el saco en una caja fuerte. Después explicó que iniciar los deberes a bordo de la nave, era borrón y cuenta nueva; todos los crímenes del pasado carecían de importancia. Por otro lado, dejó en claro que su palabra era ley y que no se toleraría ninguna negligencia. Es decir, puesto que la supervivencia de todos dependía del desempeño de todos, entonces se esperaba un servicio ejemplar de todos y cada uno de los hombres. Después siguió un periodo de adiestramiento muy riguroso hasta que, como Ronald dijo bromeando: "Estos hombres hacían *guardia marina* en su uniforme azul reglamentario sólo porque pensaban que se veían mejor".

Él no sacó ninguna conclusión precipitada, más allá del hecho de que con un poco de orgullo y "habiendo descargado de sus espaldas el peso de la superburocracia y de sus expedientes", estos hombres se habían transformado de criminales a marineros en el espacio aproximado de seis semanas. Más aún, eran marineros superiores que llevaron a cabo aproximadamente setenta incursiones usando cargas de profundidad sin una sola baja. Pero las preguntas más amplias sobre la criminalidad y las particularidades de la rehabilitación eran temas que todavía no se habían resuelto.

En una simple declaración sobre el tema que ahora nos concierne, L. Ronald Hubbard explicaría: "Yo estaba tratando de encontrar si las mentes criminales eran un tipo diferente de mentes", y como corolario, qué constituía entonces las "mentes de la policía". Pero para apreciar ese cuestionamiento, uno debe apreciar hasta dónde le había llevado para ese entonces el camino más largo hacia el desarrollo de Dianética.

Para principios de 1947, las técnicas fundamentales de Dianética estaban asentadas. Lo que conocemos ahora como la fuente fundamental de la aberración humana, criminal o de otro tipo, estaba prácticamente a la vista, y los procedimientos para el restablecimiento de la cordura, la felicidad y el alivio de las enfermedades psicosomáticas, estaban muy cerca. También para entonces ya estaba establecido lo que él describió como la bondad inherente de la personalidad básica. En otras palabras, y esto tomado del propio LRH, cualquiera que fuera el grado de trastorno del comportamiento, se encontró que el núcleo de la personalidad era, "fuerte, robusto y constructivamente bueno".

Las ramificaciones de esta declaración fueron, sin duda, inmensas, particularmente a la luz de una teoría psicológica dominante que sostenía que el hombre era el producto de su herencia evolutiva, es decir, el predador erecto y pensante. Por lo tanto,

Abajo
El *YP-422:* comisionado a la defensa submarina y dirigido por su Capitán L. Ronald Hubbard en 1942

BADGE No. 2484
LOS ANGELES
SPECIAL OFFICER
Name L. R. Hubbard
Employer Metropolitan Det
Age 36
Height 6'
Weight 196
Eyes Gray
Hair Red
SIG.
RT. INDEX F.P.

2484
THIS IS TO CERTIFY, That under and by virtue of the authority vested in me by Section 199, Article XIX, of the Charter of the City of Los Angeles, effective July 1, 1925, and the Ordinances of said City, I do hereby appoint La Fayette Ronald Hubbard as a Special Officer (for Metropolitan Det Agcy by whom this certificate will be returned to the Police Department in the event the certified leaves employ or is no longer acting in the capacity for which this is intended, effective 1-7-48 to serve at my pleasure and without pay from the City.
Chief of Police
Appointment approved 1-7-48
BOARD OF POLICE COMMISSIONERS
By: Esther M. Sharpe Secretary
Form 2.21

Arriba
credenciales del Oficial Especial del Departamento de Policía de Los Ángeles, 1948

Abajo
Gorra de Ronald, parte del uniforme gris marengo de Oficial Especial

Ronald no estaba hablando en ningún sentido teórico. Pues habiendo aplicado las primeras técnicas de Dianética en cientos y cientos de casos, había encontrado finalmente que incluso bajo lo que se consideraba un criminal empedernido, se encuentra "un ser inteligente y sincero, con ambición y deseos de cooperar". O para expresarlo de manera más simple: "El hombre era básicamente bueno. Su naturaleza social era inherente". Aún quedaba, sin embargo, la pregunta sobre qué precipitó el comportamiento criminal, qué constituía su común denominador, tal como LRH lo expresó; y para resolver esta cuestión, comenzó a examinar el ámbito del criminal, como Oficial Especial del Departamento de Policía de Los Ángeles.

Siendo una consecuencia de la gran proliferación urbana que dejó a la ciudad con aproximadamente la mitad de policías per cápita, en comparación con Nueva York o Chicago, el Oficial Especial de Los Ángeles se había convertido en algo bastante familiar para 1948. En total, cerca de cuarenta y cinco patrullas privadas estaban activas a lo largo de Los Ángeles, la mayoría contratadas por las comunidades de comerciantes mediante grandes agencias de detectives. Los deberes primarios de estos oficiales eran de dos clases: la protección de las propiedades particulares, por ejemplo los bancos y los almacenes; y el patrullaje general del vecindario en beneficio de los comerciantes locales. En esto último, los deberes del Oficial Especial eran virtualmente los mismos que los del oficial regular, aunque no tenía poderes para llevar a cabo ningún arresto que fuera más allá de una detención llevada a cabo por un ciudadano común. Sin embargo, iba uniformado (de gris marengo, pero aparte de eso, el uniforme era idéntico al de los oficiales de azul del Departamento de Policía de Los Ángeles) y estaba armado.

Ronald comenzó sus deberes como Oficial Especial en enero de 1948. Aunque según su registro estaba contratado por la Agencia Metropolitana de Detectives, su licencia se la otorgaba finalmente el Departamento de Policía de Los Ángeles; ya que sólo el departamento tenía la autoridad para determinar quién era "apto y apropiado" para prestar servicio. La autoridad tampoco era un mero trámite burocrático, pues como declaró el jefe de la policía de Los Ángeles W. H. Parker: "Uno no puede ser demasiado estricto al darle a un hombre una placa y permitirle llevar una pistola". Es más, ningún oficial de policía de Los Ángeles podía hacer una ronda más desafiante que la tristemente famosa División Central en lo que aún es el corazón negro de la ciudad.

La División Central abarcaba cerca de diecisiete millas cuadradas más allá de las calles "First" y "Main" (donde vivía sólo el trece por ciento de la población de la ciudad), pero generaba cerca de un tercio de todos los crímenes de Los Ángeles. Esto significa que en menos de la vigésima quinta parte de Los Ángeles se cometían aproximadamente el treinta por ciento de todos los allanamientos, robos, asesinatos y asaltos. Las causas eran complejas, pero obviamente incluían una gran cantidad de población itinerante, el área estaba abarrotada con hoteles baratos de una sola noche y había cierto nivel de tensión racial. En particular, la División Central se encontraba entre una comunidad hispana creciente y el límite noroeste de los afro-americanos. Existía también, sin duda, una gran cantidad de violencia entre pandillas, y otros factores para los cuales no se tiene ninguna explicación real en absoluto.

Ronald ofrece varias anécdotas relevantes para subrayar la desolación: un indígena ebrio amenaza con matar a la gente de un bar en "Main Street" por

Abajo
Ayuntamiento de Los Ángeles, donde Ronald fue nombrado Oficial Especial del Departamento de Policía de Los Ángeles en 1948

no servirle un trago. (El hombre sólo se apacigua cuando LRH lo sienta y lo convence de que un vasito de agua era el vodka más suave del mundo civilizado). Decidido a resolver una disputa con un amigo, un residente de "Alvarado Street" también ebrio, intenta arrebatar el arma que Ronald lleva en la funda de su costado. El que LRH nunca se hubiera ocupado realmente de cargarla no tenía importancia ("Los cartuchos son pesados", bromeaba). El pobre infeliz percibía que había sido dañado y quería venganza, y sólo después de lo que llega a ser una conversación de corazón a corazón con el Oficial Especial Hubbard, el ofendido finalmente llega a la conclusión que uno no le dispara a sus amigos. Por otro lado, Ronald observó que también existía lo que los oficiales del Departamento de Policía de Los Ángeles propinaban haciendo cumplir la ley, lo que incluía palizas con porras y confesiones forzadas, que inevitablemente llevaban a los que cometían infracciones insignificantes a cometer crímenes cada vez más graves. Hasta que, como LRH tan descriptivamente lo expuso, la vida en estas calles llegó a estar "completamente desprovista de toda creación".

"Si uno sinceramente tiene la esperanza de rehabilitar a una población criminal... entonces este es el factor que debe considerar: '¿Dónde perdieron su autoestima?'".

Abajo
Hospital St. Joseph, en Savannah, Georgia: lugar donde se llevó a cabo el crucial trabajo de LRH con criminales dementes

Al mismo tiempo, sin embargo, y ante cada oportunidad concebible, continuaba utilizando las técnicas de Dianética para buscar una respuesta. Su teoría funcional era axiomática. Si Dianética podía definirse como un "enfoque analítico muy exacto a los problemas de la mente", entonces también podía contarse con que proporcionaría una solución a lo que se podría denominar la "mente criminal". Y partiendo de esta premisa surgieron una serie de tests terapéuticos que de hecho se llevaron a cabo en los residentes de "Main Street". Los resultados preliminares fueron intrigantes; ya que a pesar de la relación aparente entre el niño maltratado y la futura delincuencia, el común denominador del criminal no yacía en lo que se le había *hecho* al niño, sino más bien en lo que el niño *hizo.* A modo de ejemplo (y casi seguramente tomado directamente de la investigación) L. Ronald Hubbard nos habla de un joven que estuvo a punto de golpear violentamente a su hermana en la cabeza, en cuyo momento el pensamiento crítico que le llega, es: "Podría yo caer tan bajo como para lastimar a mi propia hermana". Y *eso* como Ronald sucintamente concluyó, "es suficiente". Explica que a partir de ahí, uno está observando a un individuo que de hecho ha anulado un contrato sagrado consigo mismo de ser ético, decente y respetable y ahí se encuentra el punto crítico del declive.

Durante los meses siguientes, y continuando en Savannah, Georgia, donde trabajó con los internos criminalmente dementes de la institución estatal, este asunto del denominador común de los criminales se convirtió en un punto definido de estudio. En una descripción especialmente conmovedora de su trabajo durante este periodo, habló de buscar ese triste punto crucial en cada vida criminal, siguiendo un "largo, largo camino" hasta el punto crítico donde el criminal perdió por primera vez su confianza en sí mismo, como persona decente y honorable. Porque, como él explica, en el momento en que un hombre pierde ese orgullo de bondad y ese sentido del honor, "ya no importa lo que le haga a nadie, incluyéndose a sí mismo".

Como veremos, finalmente tendría mucho más que decir sobre el tema: sobre la inutilidad del encarcelamiento, la atrocidad de la pena capital y una interpretación psicológica del comportamiento violento que inevitablemente lleva a un estado policial. Pero la comprensión central que surgió en ese periodo, la llave maestra primaria para resolver el crimen, permanecería firme: Si uno sinceramente tiene la esperanza de rehabilitar a una población criminal, concluyó, entonces este es el factor que debe considerar: "¿Dónde perdieron su autoestima?". ■

Izquierda
Bay Head, Nueva Jersey, 1950: lugar donde nació *Dianética: La Ciencia Moderna de la Salud Mental*

Los internos típicos de las prisiones federales de Estados Unidos no cuentan con diplomas de secundaria y son completa o prácticamente analfabetos. De hecho son lo que L. Ronald Hubbard describe a continuación: estudiantes que asisten a la única escuela que los va a recibir. Es más, siguen siendo ex alumnos fieles, lo que explica el sistema penitenciario estadounidense de "puerta giratoria" en el que gran parte de cada "grupo de graduados" regresa en un lapso de tres o cuatro años para hacer sus "estudios superiores". Es decir, que son arrestados nuevamente para cumplir sentencias aún más largas. De ahí la observación de L. Ronald Hubbard: "El efecto del castigo en el criminal es el de confirmar ese comportamiento, y ocasiona que insista en ese comportamiento". Y como consecuencia, su obra "La Universidad del Crimen" enfatiza el hecho de que la reincidencia del siglo XXI proviene del fracaso lento y continuo de la reforma criminal del siglo XX. Este artículo data de 1937 y abarca una discusión radical sobre la evolución de las prisiones en donde los internos quedan profundamente marcados con el sello de su "universidad" como si se tratara de un graduado de cualquier universidad de prestigio. Al graduarse y sin importar cuál sea su especialidad, estará preparado para "demostrar que es digno del único grupo estudiantil que jamás se interesó en él".

LA UNIVERSIDAD DEL CRIMEN

de L. Ronald Hubbard

A lo largo y ancho de esta vasta tierra, donde quiera que uno mire, grandes montones de piedra silenciosa y lóbrega yacen agazapados como trampas talladas por algún gigante. Pero ninguna trampa ha tenido tantos guardianes y seguramente ninguna trampa ha ocasionado nunca tanta oratoria como la que se clama cada año acerca de las prisiones.

Siendo uno de los vestigios más bárbaros de la sociedad, uno de los comentarios más tristes sobre el grupo que es la humanidad, la prisión ha estado con nosotros desde el momento en que el primer jefe tribal primordial arrojó a un hombre primitivo indisciplinado a una oscura y húmeda cueva.

Desde ese momento la rutina ha cambiado poco, avivada tal vez en esta y aquella época con la adición de la tortura, pero siempre es conocida por algunos elementos esenciales que no cambian.

Todo hombre lleva consigo la idea de una prisión, definiéndola como una celda pequeña, mal iluminada, donde se impide que una persona se relacione con el resto de la sociedad.

Considerando las muchas maneras de lograr el hecho, sin recurrir a esos medios exactos, y considerando también que esta pequeña y oscura celda permanece como algo básico a nivel universal, es extraño que nadie haya intentado llegar al hecho fundamental.

Ese hecho ha estado siempre con nosotros. Tal vez ese jefe tribal primitivo lo sabía, pero entre su tiempo y el nuestro es dudoso que la cruda verdad haya quedado registrada alguna vez.

Y esa verdad es cruda, tal vez, para nuestra sociedad calvinista. Sería muy probable que ofendiera a muchas mentes que prefieren los convencionalismos en lugar de la verdad o el bien de todos.

Pero puede establecerse muy fácilmente. Y tal vez por ser tan simple, grandes psiquiatras y criminólogos han preferido no prestarle atención.

Sentenciar a un hombre a prisión es el deseo combinado de la sociedad de que ese hombre sea enviado de vuelta al seno materno del que provino. Es el arrepentimiento que todos sienten de que ese hombre haya nacido jamás.

Y mientras la sociedad siga expresando ese deseo, los tribunales y los policías continuarán obedeciendo el mandato de la multitud y desearán, en formas muy serias y con un aire muy pomposo, ese mismo hecho.

"Por la presente se le condena a..." bien podría expresarse como: "Usted nunca debería haber existido en primer lugar".

En la combinación de barbarie e ilustración que representan nuestros tiempos, existen algunas personas con la suficiente inteligencia como para darse cuenta de la estúpida falacia que esto supone. La analogía entre una pequeña y oscura celda y el seno materno parece haber eludido la atención que merece. Pero no es uno de esos datos curiosos que tanto le gustaban a Ripley. Es una enorme maraña de hechos que tomaría un siglo desenredar.

Tenemos al criminal, frente a lo que se ha llamado tribunal de justicia. Él es un ser humano con cabeza, brazos y piernas. Es el *hecho consumado.* No tiene sentido desear que su padre hubiese sido más cuidadoso. No tiene sentido el deplorar el hecho de que la naturaleza le haya dado oxígeno para respirar y comida para alimentarse.

Pero aún así, la sociedad ya no quiere tener nada que ver con él. Obviamente, según las apariencias, sólo hay una cosa por hacer, sólo una cosa plenamente sensata. Matarlo y dejar que los ministros de la iglesia se cuestionen vagamente sobre si alguna vez tuvo un alma. Sin embargo, el crimen no fue tan grave. El juez quiere deshacerse de él sólo por un periodo corto, suponiendo, mediante un proceso de razonamiento elevado y sin duda maravilloso, que algunos años en la celda permitirán que el tipo renazca como una persona completamente distinta. Es de cuestionarse, entonces, por qué los jueces siempre parecen enojados cuando el mismo tipo, cinco años después, se encuentra otra vez frente al tribunal de justicia esperando otro: "La sociedad desea que nunca hubieses nacido".

Las masas, cuya voluntad el juez ejecuta, se las han ingeniado para permanecer sorprendentemente en la oscuridad, junto con la mayoría de sus psiquiatras, con respecto a una multitud de datos que emanan de este deseo más bien inmoral.

El individuo considera una celda simplemente como un lugar donde el criminal permanecerá incomunicado hasta que finalmente renazca. Rara vez se le ocurre a este individuo que de hecho está fomentando la práctica de poner a este criminal dentro de una sociedad de criminales. El hecho de que el propio criminal contacte a muy pocos de sus colegas fuera de los muros de la prisión, nunca parece tener nada que ver con la situación.

No es un pensamiento nuevo que el criminal se reúne con muchos de su género cuando está en prisión y que aprende de ellos muchas cosas que antes sólo sospechaba vagamente.

Sin embargo, cuando ese hecho se relaciona con otros, la luz, de repente, comienza a brillar.

Muchos hombres, en muchas oficinas, bajo muchos jefes, durante muchos años han estado ocupados compilando estadísticas acerca del crimen. Es dudoso si los resultados tabulados se obtengan con la intención de lograr mayor orden en el mundo. Los números y porcentajes más bien tienen la intención de mostrar al público que hay gente que está, de hecho, tabulando esas cosas y que, por lo tanto, se están consiguiendo y atesorando grandes cantidades de reflexión, energía y resultados, a cambio de ciertos salarios que han de ser pagados por la tesorería pública.

Parece bastante obvio que algo puede hacerse con estas cifras. Entonces, lo siguiente al parecer sería: ¿por qué no se hace algo?

Nos enteramos vagamente de que el criminal de hoy se encuentra en una gran mayoría entre los dieciocho y veinticuatro años.

"No es un pensamiento nuevo que el criminal se reúne con muchos de su género cuando está en prisión y que aprende de ellos muchas cosas que antes sólo sospechaba vagamente".

Aplicando cierta humanidad, tal vez sea posible entender porqué un muchacho de dieciocho años recurrirá al crimen. ¿Es posible que esté directamente relacionado con el deseo de la sociedad de que nunca hubiese nacido?

¡Ah, seguro que no es eso! Es demasiado obvio. Estas cosas deben ser expresadas en oraciones polisilábicas por hombres tan sobrecargados de títulos que gastan diez bolígrafos al día firmando sus nombres.

Ciertamente no puede haber fundamento para la inútil declaración de que todas las cosas verdaderas son las más sencillas.

Pero supongamos simplemente que hay cierta verdad en esto.

El individuo mira de forma nebulosa al resto de la sociedad. Para sí mismo, él está definido con claridad y es importante y es, en buena medida, una unidad. Pero descuidadamente, cree que toda la gente a su alrededor es diferente a él. Todos se hallan vinculados entre sí y él es la única persona en el mundo que está completamente sola.

Y como debe vivir en su propia morada de carne y hueso durante más o menos setenta años, sabe que tendrá que asociarse con una mente tiránica que se encuentra peligrosamente cerca de la punta de su nariz.

Así que nunca se culpa a sí mismo por nada. Si hunde un hacha en la cabeza de su primogénito, estrangula a su esposa, viola a la mujer de su mejor amigo y luego malversa los fondos de su compañía para escaparse, cree absolutamente en sí mismo cuando le dice al mundo que lo están oprimiendo.

Si una mujer saca el auto nuevo de su marido y abolla la defensa al meterlo en el garaje, hace un gran berrinche, lanza cosas por el aire y se siente muy maltratada si su esposo le advierte pacíficamente que sea más cuidadosa la próxima vez.

¿Cuál es, entonces, el proceso de pensamiento de un muchacho de dieciocho años cuando sus mayores muestran una falta de sentido común tan sorprendente?

A la edad de cinco años lo llevaron a una escuela. Y ahí se le enseñó, junto con el alfabeto, que crecería para llegar a ser un ciudadano importante en este mundo. En su casa usualmente se espera que llegue a ser alguien cuando "crezca".

Lleva con él este virus de apariencia inocente hasta la adolescencia y, hallándose cerca de la vida adulta y de un lugar ventajoso e importante, deja que los gérmenes se reproduzcan más allá de toda esperanza de poder vacunarse contra ellos.

Y después, a la edad de dieciséis, diecisiete o dieciocho años, la cruda verdad se levanta frente a él como un muro de cemento, él se estrella contra ella y se lesiona.

La experiencia, en una dosis asfixiante, le ha informado que sólo existen dos personas en el mundo a las que les importa si vive o muere. Pero no siempre puede apoyarse en su padre y en su madre para obtener el sentimiento de importancia que necesita.

Después viene una variedad de sucesos, nunca idénticos de un caso a otro. Una tercera persona lo mira seductoramente y él quiere tener dinero, el que se le niega por medio de los canales regulares, puesto que el mundo no se preocupa de darle un trabajo. Él desea parecer importante o audaz entre sus compañeros. Tiene una necesidad real, imperiosa, de dinero y tiene hambre o frío.

Hasta ahí es donde llega su criminalidad en ese momento. Es joven y por ello no ha tenido una larga experiencia de golpes de la vida que le diga que el dinero más fácil es el que se obtiene con torrentes de sudor de su frente. No piensa de sí mismo como una pieza colectiva de la sociedad. Él es un individuo y *necesita* algo.

Para él es fácil atribuirse más astucia de la que tiene en realidad. Después de todo, él no sabe nada acerca de la LEY. Sólo ha oído hablar de huellas dactilares en historias de detectives.

Muy bien, el mundo ha fallado. Lo han engañado. El trabajo que siempre se le hizo creer que obtendría era sólo un espejismo. Así que todo lo demás es una mentira y la sociedad es mala ya que nunca le importa un comino lo que suceda con él, siempre y cuando no estorbe.

Además de eso, está aburrido. La vida, él no sabe, es un asunto muy gris y melancólico mientras el hombre se mantenga en el amplio, pero aglomerado camino.

Así que sale de ese camino y comete su primer crimen.

Su mano tiembla, de modo que no puede ver la mira de su oxidada pistola calibre 22. Sólo puede escuchar el rugido de la sangre en sus oídos y otros sonidos que nunca antes se produjeron. Olvida dónde debía buscar el dinero. Hace demasiado ruido. No puede controlar su voz.

Jadeando con agotamiento nervioso, huye corriendo y detrás de puertas cerradas, mira fijamente a unos cuantos billetes desgastados. A pesar de todo, son suyos por derecho de posesión. Al conseguirlos ha obedecido una necesidad natural por obtener emoción, comida, ropa o esa fachada necesaria ante su chica o ante sus amigos.

Y ahora llega el factor decisivo en su vida.

La policía lo atrapa o no lo atrapa.

Si logra eludirlos, entonces tal vez intente otro "trabajito" o dos, envalentonado por su primer éxito. Pero en un lapso de tiempo sorprendentemente corto, se topará con "uno duro". En un asalto a una pareja de tórtolos en el parque, el hombre le dice que se vaya al diablo e intenta arrebatarle la pistola; el joven huye y se promete ya no volver a descarriarse. En una gasolinera, el empleado alarga la mano para tomar una llave inglesa y de nuevo el joven sale corriendo, aterrorizado. En la mayoría de estos casos, el joven deja la pistola calibre 22 para siempre y unos años después mira hacia atrás con una sonrisa que guarda para sí y tal vez hasta con un cierto remordimiento intranquilo acerca de su "carrera criminal".

Si lo atrapan, está irremediablemente perdido.

Estando empapado en sudor nervioso, eleva su mirada hacia el juez vestido con su toga negra notablemente parecida a las alas deslucidas de un buitre. El joven de hecho está escuchando: "Por la presente se le condena a...".

Tan pronto como puede darse cuenta de que esto es la vida real y no una pesadilla, comienza a creer que las palabras que escuchó en realidad eran: "La sociedad desea que nunca hubieses nacido". No con estas palabras exactas, por supuesto. Pero está presente esa sensación.

Desde el momento en que empezó a pensar en el crimen, hasta ahora, el pensamiento de que el mundo no lo quería no se sentía sino parcialmente. Todo el impacto de esa verdad lo golpea ahora.

La sociedad no lo quiere. ¡Él tenía razón!

De la manera más despectiva, un juez en un tribunal, mientras se pregunta qué habrá preparado su esposa para cenar, ha completado la metamorfosis de los ideales del joven.

Él es ahora un novato en la Universidad del Crimen. Ningún profesor de irracionología se enfrentó jamás con un estudiante tan entusiasta.

En el gran montón de piedra gris, silenciosa y lóbrega, el joven descubre que hay un estrato de la sociedad que, en realidad, sí lo quiere. Nunca antes ha visto a un verdadero criminal y la realidad de la visión le impresiona

"Basta decir que la disciplina en lugar de la educación criminal mediante la prisión ha cambiado el destino de muchos más hombres de los que se atreven a admitirlo".

profundamente. Oye a hombres hablar llenos de orgullo acerca de asaltos. Recibe el trato usual que se da a todos los novatos. Él es apenas un principiante.

Mediante la cortesía del Estado, en la penitenciaría o en el reformatorio, el joven recibe una lección muy profunda. Para el momento en que se gradúa, el trabajo de su vida está definitivamente planeado para él. Ahora se dedica a "esnifar cocaína" o es un pervertido o un tipo duro, pero con toda seguridad está listo, en la mayoría de los casos, para demostrarse que es digno de pertenecer a la única hermandad que alguna vez se interesó en él.

Viene entonces una segunda crisis en su vida.

En su primera media docena de "trabajos" con los amigos de sus amigos, debe asumir los puestos y misiones más peligrosos. Así que tiene una excelente posibilidad de que la policía vigilante, valiente e inteligente lo mate de un balazo o lo arreste.

Si pasa esta prueba de fuego, es un hombre más sabio. Y así como la guerra desarrolla el ingenio en un "combatiente individual" de modo que sobrevive al resto de su compañía bajo cualquier tipo de condiciones, de esta forma la experiencia le sirve como un escudo al ahora empedernido criminal.

En forma totalmente natural él sigue la única profesión para la cual recibió preparación intensiva alguna vez. No importa cuántas veces sea arrestado, su sentido de importancia le prohíbe pensar que eso pueda volver a ocurrir. El que sea arrestado, una y otra vez, es inevitable, tan inevitable como el hecho de que un tribunal de libertad condicional lo volverá a soltar.

Regresa a prisión como un graduado que regresa a su alma mater, y hay más verdad que sarcasmo en eso. Es de lo más asombroso escuchar a estos hombres cuando se sientan a intercambiar experiencias.

"¿En el treinta y tres? Sí, estuve preso en Leavenworth. Jimmy Fenton estaba ahí".

"¿Es verdad? Vaya, no me digas. Él y yo estuvimos en Alcatraz. La pasamos mal ahí...".

Y la apariencia de estos tipos es igualmente asombrosa. Un bondadoso caballero mayor tenía una lista tan extensa de "trabajos" que se le envió a cuatro de las principales penitenciarías.

Es un triste defecto del anglosajón el insistir en que se presente una solución a cada problema que se plantee.

Hay muchas más soluciones en lugar de la fácil, torpe y estúpida solución de enviar a un adolescente a prisión. Existen suficientes soluciones como para llenar una enciclopedia. Pero la raza humana se ha vuelto tan educada o ineducada, que el deseo de "que regrese al seno materno" predomina a tal grado que la mayoría de los hombres no son conscientes de ninguna otra solución.

Basta decir que la disciplina en lugar de la educación criminal mediante la prisión ha cambiado el destino de muchos más hombres de los que se atreven a admitirlo.

Un joven, que actualmente lleva ya cuatro años sirviendo en el Cuerpo de Infantes de Marina de Estados Unidos, comenzó su carrera criminal robando autos y en general causando disturbios a la policía y al público. Un juez le hizo saber que podía pasar dos años en la penitenciaría o cuatro años con los Infantes de Marina y que él debía elegir. Como Infante de Marina tiene una hoja de servicio intachable, por su inteligencia ha ascendido hasta cabo y la última vez que se le vio, estaba estudiando temas diversos relacionados con actividades útiles en el mundo civil.

El Cuerpo de Infantes de Marina de Estados Unidos probablemente se levantaría, hasta el último hombre, desde el amanecer hasta la puesta de sol, para condenar el que se les expusiera a tal cosa. No muchos jóvenes han tenido la suerte de ese cabo y los casos en los que el joven ha tenido la oportunidad de escoger son lamentablemente escasos. El cabo tuvo algunos sargentos inflexibles en Parris Island que le sacaron todas las tonterías de la cabeza y así salió de ahí como un tipo saludable y derecho.

También está el sistema de colonias de prisioneros, del que Francia e Inglaterra han abusado de forma tan lamentable. El fracaso de las colonias de prisioneros no radica en su principio sino en su aplicación. Un hombre cuerdo se volvería loco en la Guayana Francesa, aunque fuera "libre". Ningún ser humano podría sobrevivir en las junglas de Tasmania cuando los peligros naturales se complementan con guardianes todopoderosos que tienen órdenes de tirar a matar, además de sus propios apetitos malsanos.

Existe una colonia de prisioneros que sí sobrevivió, hasta un grado muy notable. Pero esto debe decirse en voz muy baja ya que en la actualidad, aunque se colonizó inicialmente con "criminales", es el continente con menos criminalidad del mundo, lo cual parecería dar al traste con la teoría de la herencia.

Hay más carreteras por construir, más presas por levantar en Estados Unidos, de las que cien millones de hombres podrían terminar en mil años. Esto invita a la mano de obra criminal. ¿Pero se puede juzgar y descartar la mano de obra criminal sin vacilación cuando las condiciones bajo las que se practica rivalizan con las de la Guayana Francesa?

¿Puede un hombre mantener su propia estima cuando tiene su tobillo encadenado al de su compañero? ¿Cuando un guardia está cerca de él con una pistola? ¿Cuando no se le muestra ninguna consideración? Y por último y más importante, ¿cuando su trabajo sólo es Mano de Obra, no ningún Logro?

Ahí está Alaska, una tierra de grandes oportunidades pero aparentemente con gran necesidad de una población y trabajadores bien dispuestos.

Ah, no, me estoy aventurando en terreno peligroso.

Por supuesto, el único sistema es desear que el malhechor nunca hubiese nacido. El solo hecho de que haya nacido y que haya crecido hasta convertirse en un hombre no tiene absolutamente ninguna relación con el tema.

Naturalmente en realidad nos importa muy poco quién forme las filas del crimen organizado. No nos importa en absoluto si asaltan nuestra casa o secuestran a nuestro hijo. ¿Por qué no deberíamos darles pensión completa y pagar las cuotas de matrícula de los jóvenes en la Universidad del Crimen?

Un pequeño hecho, si llegara a probarse, no podría tener nada que ver con la situación: el número de criminales dentro de nuestras fronteras ha disminuido desde la formación del C.C.C., teniendo debidamente en cuenta el crecimiento natural de todas las filas del crimen, propiciado por lo humillante de la asistencia social y la acentuada necesidad y sufrimiento de las familias en todas partes.

No, eso no tendría nada que ver con ello en absoluto.

Nosotros, el pueblo, suplicamos, rogamos, exigimos que la práctica de desear que la torpe juventud nunca hubiese nacido conserve su honorable posición en los incuestionablemente exactos libros de derecho de estos grandiosos y gloriosos Estados Unidos, la tierra donde todos los hombres son creados en igualdad. Ronald

"Naturalmente en realidad nos importa muy poco quién forme las filas del crimen organizado. No nos importa en absoluto si asaltan nuestra casa o secuestran a nuestro hijo. ¿Por qué no deberíamos darles pensión completa y pagar las cuotas de matrícula de los jóvenes en la Universidad del Crimen?".

CAPÍTULO DOS

Ética y JUSTICIA

Ética y Justicia

AL CONSIDERAR LA CRIMINALIDAD, LRH NOS DICE QUE ESTAmos considerando, en última instancia, las cuestiones más amplias de lo que es correcto e incorrecto, del bien y del mal. Y cuando, a su vez, consideramos tales cuestiones, estamos tocando el fundamento de toda la filosofía: la ética, la justicia y nuestra supervivencia óptima a lo largo de cada uno de los caminos de la existencia. Con eso en mente, es apropiado que consideremos ahora más a fondo lo que el mismo Ronald aportó a este tema de la ética y la justicia, y lo que muy literalmente mantuvo como el único medio para garantizar "el futuro de esta cultura en general".

Aunque tanto la ética como la justicia se analizan de forma general en varios ensayos anteriores (y de forma bastante extensa a lo largo de "Excalibur"), su primera exposición práctica de este tema apareció en 1944. Como se podría imaginar, las circunstancias estaban relacionadas con la guerra y el escenario era la Universidad de Princeton donde Ronald había asistido a la Naval School of Military Government (Escuela Naval de Gobierno Militar) de Estados Unidos, para prepararse para estar al mando en territorios ocupados. Aunque las heridas recibidas en combate finalmente le impedirían servir en las fuerzas de ocupación de Estados Unidos, consideró con mucho cuidado la mejor forma en la que esas fuerzas debían conducirse con respecto a la ética y la justicia.

En términos generales, abordó el tema a lo largo de dos rutas: primero, el empleo de la justicia militar en una región ocupada sin respetar las tradiciones locales. Y segundo, la tradición nativa a la que la justicia de la ocupación debe dirigirse. Para considerar adecuadamente esto último, sin embargo, es necesario retroceder brevemente y considerar los antecedentes y la experiencia que Ronald adquirió en su juventud

Izquierda
Universidad de Princeton, donde en 1944, el entonces Teniente L. Ronald Hubbard asistió a la Escuela Naval de Gobierno Militar de Estados Unidos

en esas tierras asiáticas, las cuales su nación estaba a punto de ocupar.

Como se ha mencionado, y como parte de la más general trayectoria del descubrimiento de Dianética y Scientology, Ronald de hecho pasó gran parte de su adolescencia en Asia, especialmente en China y en las diversas islas del sur del Pacífico, que con el tiempo se arrebatarían del control japonés. Durante estos viajes, pudo observar los procedimientos judiciales tanto japoneses como chinos, y por lo tanto escribir desde Princeton: "Según mi propia experiencia, nunca he conocido nada igual al poder y la crueldad de la justicia china, excepto las del tiránico dictador General Juan Vicente Gómez en Venezuela. La falta patente de los derechos de un individuo ante los tribunales de justicia en Chefú, Pekín, Nagasaki u otras ciudades orientales nunca ha dejado de asombrarme". Algo que no se menciona pero que vale la pena señalar aquí, para darle énfasis, es el hecho de que había presenciado personalmente una ejecución china, que al parecer había ocurrido en las calles de Shanghai y que al parecer fue una decapitación, en buena medida improvisada, de un infractor político.

Sin embargo, él señala con cierta vehemencia que las concepciones asiáticas de la justicia, en particular la china, no carecen de liberalismo.* De hecho, basándose específicamente en el *Tao,* los chinos podrían jactarse de una tradición profundamente ilustrada, en la que se decía que cada ciudadano posee su propio sentido innato de lo correcto y lo incorrecto. De ahí viene la advertencia que Ronald da a los futuros gobernadores militares occidentales: A pesar de toda la infamia de la justicia oriental, con todo su énfasis en el terrible castigo físico, ninguna junta o tribunal militar de ocupación de Estados Unidos debería imaginar que los métodos y criterios judiciales occidentales son "conceptos especiales, grandiosamente concebidos por plumas occidentales y que funcionan sólo en nuestro hemisferio". Más bien, "De manera persistente, constante, por casi tres mil años, en Oriente han aparecido cosas idénticas y similares en el pensamiento".

Continuó con muchas sugerencias más, incluyendo una solicitud suya característica, pidiendo una tolerancia general y la preservación de la libertad individual. Sin embargo, dado que, como hemos dicho, él no sirvió en esas fuerzas de ocupación, y dado también que la investigación de Dianética se intensificó, no fue, en efecto, sino hasta 1951 que una vez más abordó específicamente la teoría de la ética.

**El "liberalismo" y el "conservadurismo" chinos bien podrían haberse llamado "taoísmo" y "Ju Chia" respectivamente, ya que están destinados a especificar en este sentido lo que llamaríamos "Democracia" occidental y "Fascismo" occidental. –L. Ronald Hubbard*

Arriba
La Ciencia de la Supervivencia de L. Ronald Hubbard que se centra en la Tabla Hubbard de Evaluación Humana. Fue la primera forma exacta de predecir el comportamiento humano.

Su medio fue *La Ciencia de la Supervivencia*. Orientada en torno a su Tabla de Evaluación Humana, que describe los diferentes tonos emocionales humanos, esta obra presentó el primer medio preciso para predecir la conducta humana. También presentó una explicación detallada de las diferentes dinámicas de la existencia humana, es decir, los diferentes campos o entidades con los que uno debe cooperar para obtener una supervivencia óptima. Así, encontramos que la supervivencia se logra a lo largo de varias rutas, que incluyen la supervivencia como individuo, como familia, como grupo, como humanidad y como parte de todos los seres vivos. Y de esta visión de la vida como algo interdependiente con todo lo demás, surgió la primera definición funcional de la ética: "Racionalidad hacia el nivel más alto de supervivencia para el individuo, la raza futura, el grupo y la humanidad, y las demás dinámicas tomadas colectivamente".

Sin embargo, para que no se pase por alto este punto, el concepto clave aquí era la *viabilidad*. Como Ronald ha señalado muy acertadamente, la ética tradicionalmente ha sido una cuestión contemplativa y ha causado un debate más o menos interminable sobre lo que constituye precisamente lo correcto y lo incorrecto. Además, el tema se ha confundido irremediablemente con la justicia, la cual es, sin embargo, algo totalmente distinto; es decir, la justicia es la acción que el grupo lleva a cabo en el individuo cuando el individuo no se comporta de una manera ética. Así, la ética se convierte en un asunto personal, y consiste de aquellas acciones que uno realiza consigo mismo para la supervivencia óptima a través de todas sus dinámicas. Por extensión entonces, el *bien* se podría definir como acción constructiva de supervivencia, mientras que el mal es precisamente lo opuesto. En otras palabras, y esto también lo dice LRH: "Son buenas las cosas que complementan la supervivencia del individuo, su familia, los hijos, el grupo, la humanidad, la vida y la materia, energía, espacio y tiempo [el universo físico]". Mientras que el mal es "cualquier cosa que sea más destructiva que constructiva a lo largo de cualquiera de las diversas dinámicas".

"Son buenas las cosas que complementan la supervivencia del individuo, su familia, los hijos, el grupo, la humanidad, la vida y la materia, energía, espacio y tiempo [el universo físico]".

Por supuesto, el resultado final es que la ética no es un tema sobre el que figurar, un asunto de cuestiones abstractas relativas, como diría el psicólogo, sino un instrumento práctico para la vida real. ¿Por qué se debe ser honesto y decente? ¿Por qué a final de cuentas el robo nunca es provechoso y menos aún el asesinato? ¿Por qué es tan censurable la destrucción de un medio ambiente, por no mencionar la ruina de un planeta? Porque cuando uno calcula la ecuación de la ética hasta el último dígito crítico, nuestra supervivencia óptima como individuos es absolutamente interdependiente de todo lo demás, y sólo al considerar constantemente la supervivencia de la mayoría, podremos asegurar nuestra propia supervivencia.

Además, como Ronald nos recuerda, en vista de que el hombre es básicamente bueno, "cuando descubre que está cometiendo demasiadas acciones dañinas, entonces, ya sea de forma causativa o de forma inconsciente o inadvertida, el hombre se impone la ética destruyéndose". Para ilustrar esto con ejemplos, señala al criminal que habitualmente deja pistas que llevan a su propia perdición o al dictador tiránico que enloquece. Pero de hecho, agrega, los fenómenos son universales y los casos innumerables. Habiendo dañado a demasiados, con demasiada frecuencia, y al carecer de medios reales para corregir sus agravios, los hombres, en forma directa y deliberada, se llevan a sí mismos a la ruina.

Es desde este punto de vista, entonces, desde esta imponente visión de la ética como racionalidad que llegamos al logro culminante de LRH: la auténtica Tecnología de Ética por medio de la cual se puede mejorar la supervivencia. Como precedente histórico (pero teniendo en cuenta que lo que Ronald aportó al tema es totalmente nuevo), él nos remite al antiguo texto budista, al *Vinaya Pitaka* y en particular, el *Cullavagga,* o a las reglas de conducta para la pureza de la vida monástica según Buda. Según la tradición, Buda mismo escribió el *Cullavagga* cuando se le hicieron notar las faltas éticas de los discípulos. Se incluyen medidas para todas las ofensas importantes, así como para las faltas más comunes contra la etiqueta monástica. Pero lo que distingue al documento, y la razón por la que es pertinente aquí, es que constituye uno de los primeros intentos (y muy raros) de desarrollar un sistema ético, no para el castigo, sino para la *rehabilitación.* Por tanto, además de tratar las infracciones, el *Vinaya Pitaka* prescribe también el método de compensación.

En cierto sentido, la Tecnología de Ética de LRH proporciona lo mismo: para aquellos que han sido expulsados de un grupo, debido a una conducta no ética, Ronald proporciona, de forma muy clara, la ruta de regreso al hogar; pero también proporciona mucho, mucho más. De hecho, con la Tecnología de Ética de LRH no sólo tenemos un medio para la salvación ética a través de la expiación, sino la verdadera rehabilitación mediante la comprensión y la aplicación de lo que equivale a las leyes fundamentales de este universo.

Para explicarlo: en términos muy sencillos, cuando uno habla de supervivencia, no está hablando de un estado estático. Se trata más bien de grados definidos de conducta ética y por lo tanto, niveles de supervivencia. Por consiguiente, uno puede sobrevivir más o menos bien, pero aún así puede lograr un mejoramiento significativo. Con la ética de LRH viene, entonces, no sólo la descripción de estos diferentes estados o *condiciones* de ética, sino los pasos exactos o fórmulas que uno toma para mejorar una condición.

En total, él designó doce condiciones, que van desde el estado de Confusión completa, en el que uno virtualmente es incapaz de ninguna acción constructiva, pasando por los estados de Traición (resultante de traicionar la confianza que se ha dado a uno), y de ahí sucesivamente hacia las condiciones superiores de Enemigo, Duda, Riesgo, Inexistencia, Peligro, Emergencia, Normal, Afluencia y Poder hasta alcanzar finalmente una condición de Poder estable. Lo importante aquí, y es absolutamente demostrable, es que sin importar cuán bajo pueda uno caer en cuanto al nivel ético, se puede rehabilitar mediante la aplicación concienzuda de las Fórmulas de las Condiciones de L. Ronald Hubbard. Más aún, las fórmulas se aplican a cualquier persona y para cualquier propósito, ya que reflejan las leyes naturales e ineludibles que gobiernan la supervivencia de todas las cosas: cómo crecen o disminuyen, prosperan o perecen. Así pues, aunque fueron escritas originalmente para usarse en las organizaciones de Scientology,

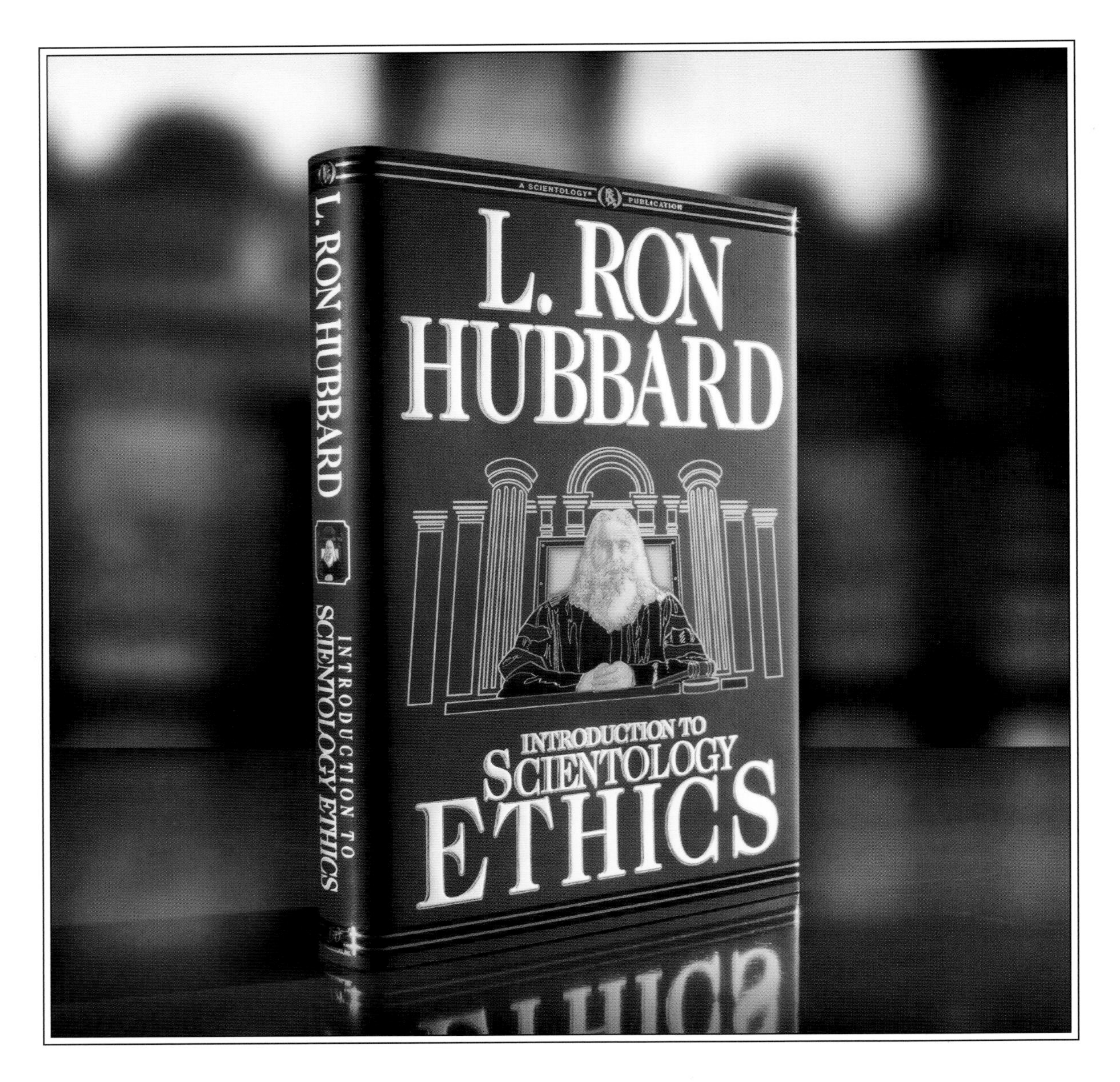

Arriba
Introducción a la Ética de Scientology de L. Ronald Hubbard presenta toda la tecnología básica para aplicar la tecnología de ética y justicia para obtener un "flamante resultado cuyo igual nadie ha soñado jamás"

el uso de estas condiciones y sus fórmulas no tiene límites. De hecho, hasta criminales aparentemente incorregibles se han rehabilitado hasta llegar a estados en los que su productividad, presencia ética y autoestima son evidentes.

El complemento natural de la Tecnología de Ética de L. Ronald Hubbard es su sistema de justicia. "Cuando un individuo deja de imponerse la ética a sí mismo", explica con gran sencillez, "el grupo toma medidas en su contra y a esto se le llama justicia". Como esta declaración implica, la justicia se usa sólo hasta el momento en el que la propia ética de la persona "la convierte en compañía adecuada para sus semejantes". De otra forma, y aquí radica lo que él condenó como el punto débil desde Hammurabi en adelante, "la justicia se convierte en un fin en sí misma". Esta declaración es crucial y penetra directamente hasta el núcleo de todo lo que se considera que está mal en los sistemas de justicia modernos, incluyendo a la justicia como un instrumento de venganza popular, o un desagüe más o menos obstruido al que echamos a los indeseables. En cualquier caso, como agrega LRH significativamente: "Se piensa poco en administrar justicia de manera que los individuos puedan mejorar".

Por supuesto, las estadísticas confirman que él tiene razón, ya que a pesar de la idea generalizada de que el endurecimiento de las penas equivale a una rehabilitación, la realidad es completamente opuesta. Es decir: cuanto más larga es la sentencia, mayor tendencia existe hacia la reincidencia. Pero de cualquier forma, como se ha resaltado, al menos la mitad de aquellos que se liberan de las prisiones estadounidenses serán arrestados nuevamente dentro de un lapso de tres años a partir de su puesta en libertad; mientras que en los criminales que se encuentran en categorías especiales estas cifras se elevan sustancialmente; por ejemplo, cerca del 80% de aquellos con arrestos múltiples verán sus antecedentes penales incrementarse más y más. Todo lo cual se menciona para resaltar que sin importar cuántos millones se gasten en la rehabilitación penitenciaria, la palabra *"correccional"* es de lo más contradictoria con la realidad.

La solución de LRH es un sistema de justicia tan justo y viable como su sistema para la ética personal. Una vez más, aunque estos principios se diseñaron originalmente para usarse dentro de las organizaciones de Scientology, pueden aplicarse a cualquier circunstancia. Se incluye el grado apropiado de las acciones de justicia de acuerdo al grado de severidad, la teoría y la práctica de la petición como un medio para solicitar la reparación de daños y el esbozo de premios y castigos de acuerdo a la producción. También, indudablemente, se incluyen los instrumentos para la rehabilitación por medio de la justicia hasta un punto de ética personal en el que, como LRH reitera: "la justicia deja de ser el tema de vital importancia en el que lo han convertido".

Todas las nociones de ética y justicia, observó Ronald en cierta ocasión, han tenido tradicionalmente sólo uno de estos dos objetivos: cortar una cabeza u otorgar un perdón. En esta era peculiar de "barbarismo ilustrado", como él lo ha expresado de forma tan apropiada, las maquinaciones pueden haberse vuelto excepcionalmente complejas, entre los rituales de los procesos de negociación y las apelaciones. Pero cuando todo se reduce a lo más esencial, a ese mazo que resuena inexorablemente en el estrado, los resultados tienen sólo dos aspectos: el castigo o el indulto. No es algo insignificante, entonces, decir que aquí están los medios por los cuales "el hombre *puede* aprender a imponerse la ética a sí mismo y salir del atolladero". Aquí está el "flamante resultado cuyo igual nadie ha soñado jamás".

La tecnología fundamental mediante la cual se obtienen esos resultados se puede encontrar en el libro de L. Ronald Hubbard *Introducción a la Ética de Scientology*. El programa para la reforma de criminales de L. Ronald Hubbard es una extensión de ese cuerpo de tecnología y se apoya en los mismos principios. Como se señaló, su descubrimiento fundamental afirma que ningún hombre es inherentemente malo y ninguno carece de un sentido de ética innato. Consecuentemente y de forma muy simple: "El individuo puede aprender esta tecnología, aprender a aplicarla a su vida, y puede así establecer su propia ética, cambiar condiciones y comenzar a ascender hacia la supervivencia por su propio impulso". ■

Enfatizando dramáticamente lo que L. Ronald Hubbard presentó en su ensayo de 1969 "Motines", están los disturbios de 1992 en Los Ángeles que fueron originados por la absolución de oficiales de policía acusados de golpear al conductor de color Rodney King. De hecho, cuando se hizo una amplia distribución de copias del artículo entre los afligidos residentes de Los Ángeles, más de unos cuantos asumieron que se había escrito después de los incendios y saqueos de 1992. Con respecto a esto, y una vez más, LRH no sólo estaba comentando acontecimientos perturbadores sino que estaba revelando su causa fundamental.

MOTINES

de L. Ronald Hubbard

La causa de los motines no siempre es la privación económica.

La causa de la mayoría de los motines en Estados Unidos es la injusticia.

Sólo el acaudalado puede darse el lujo de la justicia. Se podría decir que debe haber justicia en la Constitución, pero sólo se puede obtener en los tribunales superiores.

El hombre común no tiene cien mil dólares para luchar contra las acciones injustas de aquellos que están en el poder.

Hasta que haya justicia para el hombre común no sólo para el rico, habrá motines. Y estos motines pueden intensificarse fácilmente hasta llegar a convertirse por completo en una revolución sangrienta y brutalmente cruel.

Un negro puede estar inocentemente en la esquina de alguna calle, lo pueden agarrar, golpear, pueden meterlo en la cárcel y lo pueden poner a hacer trabajos forzados, todo ello, basándose en algún cargo imaginario. Tal vez en los libros de derecho dice que eso no se puede hacer, pero, ¿dónde están sus cien mil dólares para poder llevarlo a un nivel suficientemente alto para tomar acción?

"He visto cárceles llenas de hombres que ni siquiera podían decir cuál era el cargo real en su contra, pero trabajaban como esclavos diariamente en trabajos de convictos".

He visto a un profesor universitario filipino ser arrestado sin razón, con la mandíbula rota, detenido sin derecho a fianza, todo porque era un filipino en una comunidad blanca estadounidense (en Port Orchard, estado de Washington).

He visto cárceles llenas de hombres que ni siquiera podían decir cuál era el cargo real en su contra, pero trabajaban como esclavos diariamente en trabajos de convictos.

Como ministro, yendo entre la gente, he sido testigo de suficiente injusticia como para derrocar a un estado, sólo en espera de una chispa para hacer estallar la ira suprimida en una revolución.

"Sólo el acaudalado puede darse el lujo de la justicia. Se podría decir que debe haber justicia en la Constitución, pero sólo se puede obtener en los tribunales superiores. El hombre común no tiene cien mil dólares para luchar contra las acciones injustas de aquellos que están en el poder".

Hasta que la justicia se aplique a todos, hasta que una persona sea realmente considerada inocente mientras no se compruebe su culpabilidad, hasta que ya no cueste cien mil dólares llegar a un tribunal superior, el gobierno está en riesgo.

Puede que sean muy grandes, puede que su sudor no tenga olor, su arrogancia puede colocarlos por encima de todos los demás, pero en la actualidad, los líderes de una nación que por un instante toleren la injusticia para sus ciudadanos más pobres, deberían preparar sus cabezas para la guillotina. Se está fraguando otro 1789, esperando sólo una gran chispa que se propague como un rayo a través del mundo Occidental.

La injusticia no es algo con lo que ningún hombre de poder debería tratar jamás. No es sólo un pecado. Es suicidio. Ronald

"Durante mucho tiempo he estudiado las causas de la violencia y el conflicto entre individuos y naciones", escribió L. Ronald Hubbard en el invierno de 1968 "Justicia" proviene directamente de esta investigación. Publicado originalmente en la revista Freedom de la Iglesia de Scientology, esta obra parecería tener una relevancia particular en una era en que el miedo al terrorismo ha eclipsado a tal grado la amenaza comunista que las falsas acusaciones han vuelto a estar a la orden del día. Asimismo, y a pesar de más de medio siglo de progreso en nombre de los derechos civiles, estamos aún discutiendo un sistema de justicia criminal estadounidense que es más de cinco veces más probable que encuentre culpables de delitos a hombres de raza negra que a hombres de raza blanca.

JUSTICIA

de L. Ronald Hubbard

El mayor fracaso de la democracia Occidental es su hábito de basar las acciones legales, de forma negligente, en informes falsos.

Cualquiera puede decir cualquier cosa sobre cualquier persona y el poder policial y las salas de justicia tienen tendencia a actuar basándose en informes tan falsos que hasta un niño podría darse cuenta de la mentira.

Esto fue lo más odioso de los NAZIS, y esto caracteriza a la "justicia" comunista.

En febrero de 1969, aislé la acusación falsa, el informe falso y el no confrontar al acusado con sus acusadores, como el error básico de la justicia. Esto disminuye la seguridad personal y envuelve a todo el sistema judicial en procedimientos interminables e innecesarios.

Estos factores por sí mismos ocasionan que gente inocente esté sujeta a los ataques de la prensa, a los procedimientos judiciales, a gastos sin fin y a vidas arruinadas.

Mientras los informes falsos sean publicados, aceptados y se actúe basándose en ellos, grupos de presión corruptos, como el de los psiquiatras, pueden acabar con cualquier posible rival o hacer añicos la estructura social de una nación.

Este abuso es tan flagrante que destruye para todos y cada uno, el valor de la causa de la democracia.

Cuando la justicia llega a ser lenta, cuando llega a ser cara y cuando se permite que los informes falsos sobre la gente y sobre los grupos se dejen pasar sin desafío ni castigo, cualquier ideología se convierte en una tiranía.

Tan importantes son estos factores en la destrucción de la lealtad y en la creación de revolucionarios, que ningún gobierno que los permita puede estar seguro.

Este es, de hecho, un nuevo descubrimiento filosófico en el campo de la jurisprudencia. No se ha comprendido la enorme importancia del informe falso en la destrucción de la estructura social de una nación y de su causa.

La causa de la mayor parte de los conflictos internos en un país son los individuos y grupos que se defienden contra los informes falsos.

En un periodo en el que los gobiernos "intentan apoderarse de las mentes de los hombres", se tendrá que llevar a cabo una buena cantidad de reformas.

Uno de los factores que amenazan los derechos humanos es el informe falso. Sin embargo, no existe un recurso práctico adecuado. ¿Juicios por difamación? Mejor olvidarlos. Cuestan más de lo que nadie pueda permitirse y lleva una eternidad intentar llevarlos a cabo, dejando al público con los informes falsos, aun cuando se gane el juicio.

"Cuando la justicia llega a ser lenta, cuando llega a ser cara y cuando se permite que los informes falsos sobre la gente y sobre los grupos se dejen pasar sin desafío ni castigo, cualquier ideología se convierte en una tiranía".

Dado que los informes falsos hacen añicos la seguridad del individuo y del grupo reducido, estos tienen entonces que hacer valer sus derechos. Y lo hacen, atacando por su lado.

Una nación que permite que se actúe en base a estos informes falsos, se encontrará al final abandonada por el pueblo y por los grupos que la apoyan, atacada por las personas decentes, y al final será derrocada.

Para salvarse, una nación debe permitir una acción legal directa que sea rápida y que no sea costosa, de forma que un individuo o grupo pueda protegerse legalmente de los informes falsos.

Sólo si el mundo "libre" reforma sus derechos humanos, tendrá una causa por la que merezca la pena luchar, o a la que merezca la pena prestar apoyo. De otra forma su gente y sus grupos sociales la abandonarán en pos de cualquier otra causa sin siquiera examinarla lo suficiente.

Las virtudes del patriotismo, de la lealtad y de la profunda dedicación al gobierno, no han muerto por alguna extraña decadencia social. Han muerto porque la gente siente que el gobierno ya no la protege, que hasta la ataca, abriendo la puerta al secuestro psiquiátrico, a los impuestos exorbitantes y a la inseguridad personal.

Por ejemplo, hace tiempo que los negros en Estados Unidos han estado diciendo que no lucharán por el gobierno. Esto no se debe a que los negros sean comunistas. Se debe a que cualquiera puede presentar un cargo contra ellos, sin importar lo falso que sea, hacer que el negro entre en prisión, que le den una paliza y lo linchen. Y las autoridades se encogen de hombros comentando: "Sólo es un negro". No tenía una *consideración igualitaria* bajo la ley. Cualquier informe falso sin probar, podía hacer que lo arrestaran, que le dieran una paliza o que lo mataran. Por lo tanto él acabó estando muy inseguro. Y ahora continuamente crea motines, saqueos, incendios e incluso está haciendo cerrar universidades. Todo porque se aceptó cualquier informe falso. Y le podían dar una paliza, o podían colgarlo, a la espera de una lenta y costosa justicia.

Esto no se limita a los negros de Estados Unidos. Esto ha ocurrido en todos los grupos minoritarios estadounidenses y ocurre en los grupos de minorías religiosas y raciales en muchos países; en demasiados. Por ello forman un núcleo de resistencia y de agitación social. Están nerviosos y a la defensiva.

Según va empeorando la situación, muchos grupos sociales comienzan a reaccionar ante los informes falsos contra ellos, incapaces, una vez más, de obtener justicia con la suficiente prontitud para evitar mayor daño.

Más o menos en ese momento, es mejor que los funcionarios vayan buscando sus cuentas bancarias en el extranjero y huyan subrepticiamente. Ya que ese gobierno, aun cuando todavía siga funcionando, no es ya el gobierno de su gente. Es su enemigo. Su gente se unirá a cualquier movimiento revolucionario. Esa es la mecánica de la revolución.

La gente aguantará hasta lo indecible. Pero un día el patriotismo muere. Porque el gobierno no tiene ya una causa en la que la mayoría crea o por la que luche.

Los principios de no aceptar informes falsos y de confrontar a la persona con sus acusadores y sus acusaciones *antes* de cualquier tipo de acción de castigo son tan fuertes, que si el mundo occidental los aceptara y los practicara con precisión rigurosa, TENDRÍA UNA CAUSA SUFICIENTEMENTE GRANDE PARA SOBREVIVIR.

Podría entonces ser más causativo que el comunista.

Tal como está la situación, los gobiernos de Occidente tienen que COMPRAR y sobornar a su defensa a un costo tan desorbitante que los arruinará.

Nuestra postura es esta: estamos bien dispuestos y somos amigos de los poderes del mundo Occidental, intentando que estos eleven su sentido del honor y de la justicia antes de que las masas lleguen a esos poderes y los destrocen. Ronald

A partir de lo que representó aproximadamente cincuenta años de investigación en cuestiones de ética, justicia y el contrato social ideal, Ronald escribió este documento inmensamente significativo para la creación de un Código Penal modelo. Previamente, había escrito constituciones ideales para tres naciones africanas emergentes, y había dado conferencias, tratando en toda su extensión, temas relacionados con la libertad y la preservación de la libertad política. Los que están familiarizados con las diversas conferencias, o el mayor conjunto de datos de su obra en lo que respecta a la ética, reconocerán los puntos más destacados: el castigo no resuelve nada; la justicia vindicativa no es justicia en absoluto y ningún estado tiene el derecho moral de segar una vida humana.

CÓDIGO PENAL

de L. Ronald Hubbard

Este Código Penal de la Constitución se basa en el principio de que todos los hombres son iguales ante la ley, sin importar privilegios, riqueza, linaje, antecedentes, reputación o pobreza y que ningún costo, condición, rumor o publicidad deberá desviar favorable o desfavorablemente el curso de la justicia o los derechos a ella.

Cada persona, ciudadano o extranjero, sin importar edad, color, credo o reputación tiene derecho a:

1. Una audiencia justa para cualquier falta que requiera multa o disciplina, ante un magistrado imparcial.
2. Un juicio justo, en el que se le defienda adecuadamente, ante un juez imparcial y un jurado, para cualquier delito muy grave o crimen capital.
3. El derecho a *habeas corpus* sin tardanza y sin importar el cargo, la razón o el método de su arresto.
4. Tanto la cordura como la locura, y sin importar lo pronunciadas que sean, no se considerarán en absoluto en la expedición de órdenes judiciales, aprehensión, detención, defensa, exculpación o sentencia; y la locura en sí no puede ser motivo de acusación para cualquier orden judicial, arresto o reclusión. Los actos de una persona serán juzgados entera y solamente como actos dentro del significado de falta, delito o crimen severo; serán procesados y sentenciados sin atención o consideración alguna a cualquier diferencia tal como la capacidad, la cordura, la juventud o la edad. La actitud o condición mental, sea cual sea la forma en que se exprese, no tendrá lugar ni cabida en la ley.
5. Ningún funcionario público, agente elegido, contratado o nombrado, parte, departamento o división de un gobierno incluyendo al gobierno mismo, puede actuar en cualquier forma que propase los límites, haga a un lado o ignore cualquier parte de esta Constitución y en caso de tal violación, individual o colectiva, el asunto estará sujeto a procedimiento criminal o civil teniendo en cuenta las consecuencias del acto, ante cualquier tribunal menor o superior; y ningún tribunal puede denegar ninguna orden de comparecencia impidiendo que se haga justicia, ya que estas desviaciones de los funcionarios o del gobierno son en sí mismas la anulación de todos los derechos del ciudadano con la consecuente tiranía.

6. Los esfuerzos del Parlamento o el Congreso para obstruir, negar o anular la Constitución o su Código Penal, sus propósitos o derechos, someten a cada uno de sus miembros a la disciplina dentro de este código , y a las actas a la anulación.
7. Será un delito muy grave el subvertir, ignorar o alterar esta Constitución.
8. El robo, daño o pérdida, por omisión o comisión, de la propiedad, intereses o fondos de las personas, pero que no superen el valor de un mes de salario de un ciudadano promedio, será considerado como una falta y estará sujeto a sanción con una multa a pagar a las partes perjudicadas, con todos los honorarios y costos de la acción legal.
9. El robo o daño malicioso o pérdida, por omisión o comisión, que supere el salario mensual de un ciudadano promedio estará sujeto a sanción como delito muy grave, y si se prueba más allá de cualquier duda razonable, resultará en una orden restrictiva sobre la persona hasta que el daño sea pagado totalmente con todos los gastos y honorarios.
10. El daño físico causado a una persona por pasión o malicia, será juzgado como crimen y si ha causado incapacidad, resultará en una multa del doble del salario usual de la víctima durante el tiempo que se encuentre incapacitada, aunque el salario se siga pagando, o según la indemnización compensatoria que el juez decida asignar.

"Este Código Penal de la Constitución se basa en el principio de que todos los hombres son iguales ante la ley, sin importar privilegios, riqueza, linaje, antecedentes, reputación o pobreza y que ningún costo, condición, rumor o publicidad deberá desviar favorable o desfavorablemente el curso de la justicia o los derechos a ella".

11. La pérdida de una vida por causa de negligencia, o por alguna razón no intencionada será considerada delito muy grave o según el juez lo declare teniendo en cuenta las atenuantes.
12. La pérdida intencional de una vida será considerada un crimen grave y será sancionable con la indemnización total de las pérdidas financieras de todas las personas afectadas en sus finanzas, y con la necesidad de sustituir por ellas, en la mayor medida de lo posible, por parte del ofensor y si esto último fallase, será adicionalmente disciplinado de acuerdo con lo que decrete el juez del tribunal, después del fallo unánime del jurado.
13. La pena de muerte no formará parte de ningún Código Penal del país.
14. La traición será definida como un esfuerzo a sabiendas para derrocar la Constitución, como subversión del Estado en interés de un poder extranjero, o deslealtad intencional y maliciosa del interés nacional para beneficio de potencias que persigan derribar la Constitución o empleo o contratación secretos por enemigos extranjeros; o ser desleales a la nación o a un empresario por paga o por venganza. Será considerada un crimen grave y, una vez probada más allá de cualquier duda razonable ante un jurado, estará sujeta a sanción mediante la privación de toda propiedad, de la ciudadanía y con el exilio, o según el juez decida decretar.
15. El intentar mediante difamación y calumnia, o falsas declaraciones públicas, privar a una persona de sus derechos constitucionales o de sus medios de vida o su estima pública será considerado un delito muy grave.
16. El privar a una persona de su esposo o esposa legal, o de miembros de la familia, o de la familia en sí, mediante declaraciones difamatorias, calumniosas y falsas, o mediante cualquier persuasión, será considerado un delito muy grave.

17. El apartar de su domicilio por la fuerza a una persona, o la detención por la fuerza de una persona, separada de su familia o amigos, por parte de personas privadas o grupos actuando fuera de la estructura legal será considerado como un delito muy grave; y el secuestro para obtener un rescate o favores será considerado una ofensa.
18. El tratamiento físico que no dé como resultado un ser en buen estado y restablecido, será considerado un delito muy grave.
19. El tratamiento físico que dañe o hiera la personalidad, será considerado un delito muy grave.
20. Aconsejar, persuadir a alguien para que las consuma o introducir el uso de drogas psicotrópicas o de drogas, plantas o preparaciones químicas alucinógenas, será considerado un delito muy grave y su suministro será considerado un crimen capital.
21. Educar a la juventud en contra del interés nacional y de la Constitución será considerado un delito muy grave.
22. Ninguna persona podrá ser detenida o encarcelada únicamente por posiblemente de haber cometido un crimen que de hecho no ha sido cometido.
23. Cometer genocidio será considerado un crimen severo. Ronald

Suponiendo, como se declara en Scientology, que el hombre es, en esencia un espíritu inmortal cuya experiencia va mucho más allá de una sola vida, todos nosotros tenemos una capacidad infinita de sobrevivir. Sin embargo, lo bien que sobrevivimos, explica L. Ronald Hubbard, depende de la ética. Como resumen de esta verdaderamente monumental visión de la ética como medio por el cual podemos florecer para siempre, presentamos su artículo: "Ética, Justicia y las Dinámicas".

ÉTICA, JUSTICIA Y LAS DINÁMICAS

de L. Ronald Hubbard

Supervivencia

El Principio Dinámico de la Existencia es: ¡SOBREVIVE!

No se ha encontrado ningún comportamiento o actividad que exista sin este principio. No es nuevo que la vida esté sobreviviendo. Sí es nuevo que la totalidad del impulso dinámico de la vida sea *únicamente* la supervivencia.

Es como si hace muchísimo tiempo, el Ser Supremo hubiera dado una orden a toda la vida: "¡Sobrevive!". No se dijo cómo sobrevivir, ni tampoco durante cuánto tiempo. Sólo se dijo: "¡Sobrevive!". Lo opuesto de "¡Sobrevive!", es "Sucumbe". Y ese es el castigo por no participar en actividades que fomenten la supervivencia.

Un individuo sobrevive o sucumbe en proporción a su capacidad para adquirir y conservar los recursos para la supervivencia. La seguridad de un buen trabajo, por ejemplo, significa cierta garantía de supervivencia: siempre que otras amenazas a la existencia no se vuelvan demasiado aplastantes. El hombre que se gana bien la vida puede permitirse mejor ropa para protegerse de la intemperie, una casa más firme y mejor, cuidado médico para sí mismo y su familia, buen transporte y, lo que es importante, el respeto de sus compañeros. Todas estas cosas son supervivencia.

Las Ocho Dinámicas

Al examinar la confusión que es la vida o la existencia para la mayoría de las personas, se pueden descubrir ocho divisiones principales.

Podría decirse que existen ocho impulsos (empujes o ímpetus) en la vida.

A estos los llamamos *dinámicas*.

Son motivos o motivaciones.

Los llamamos *las ocho dinámicas.*

Aquí no se piensa ni se afirma que ninguna de estas ocho dinámicas sea más importante que las demás. Aunque son categorías (divisiones) del amplio juego de la vida, no son forzosamente iguales entre sí. Se verá que entre los individuos, cada persona pone más énfasis en una de las dinámicas que en las demás, o puede poner más énfasis en que una combinación de dinámicas sea más importante que otras combinaciones.

El propósito de establecer esta división es aumentar la comprensión de la vida distribuyéndola en compartimentos. Una vez subdividida la existencia de esta forma, se puede inspeccionar cada compartimiento (como tal y por sí mismo) en su relación con los demás compartimentos de la vida.

Para resolver un rompecabezas, es necesario empezar por tomar las piezas de color y tipo similares y colocarlas en grupos. Al estudiar un tema, es necesario avanzar de una manera ordenada.

Para fomentar este orden, es necesario adoptar (para nuestros fines) estos ocho compartimentos arbitrarios de la vida.

La Primera Dinámica es el impulso hacia la existencia como uno mismo. Aquí tenemos la individualidad expresada plenamente. A esta se le puede llamar la *Dinámica de Uno Mismo.*

La Segunda Dinámica es el impulso hacia la existencia como actividad sexual. Esta dinámica tiene en realidad dos divisiones. La Segunda Dinámica (a) es el acto sexual en sí. Y la Segunda Dinámica (b) es la unidad familiar, incluyendo la crianza de los hijos. A esta se le puede llamar la *Dinámica del Sexo.*

La Tercera Dinámica es el impulso hacia la existencia en grupos de individuos. Cualquier grupo, o parte de una clase completa, podría considerarse una parte de la Tercera Dinámica. La escuela, la sociedad, la ciudad y la nación son cada una de ellas *parte* de la Tercera Dinámica, y cada una *es* una Tercera Dinámica. A esta se le puede llamar la *Dinámica de Grupo.*

La Cuarta Dinámica es el impulso hacia la existencia como Humanidad o de la Humanidad. Mientras que una raza podría considerarse una Tercera Dinámica, a todas las razas se les consideraría la Cuarta Dinámica. A esta se le puede llamar la *Dinámica de la Humanidad.*

La Quinta Dinámica es el impulso hacia la existencia del reino animal. Esto incluye a todas las criaturas vivas, ya sean vegetales o animales: los peces del mar, las bestias del campo o del bosque, la hierba, los árboles, las flores o cualquier cosa que esté animada directa e íntimamente por la *vida.* A esta se le puede llamar la *Dinámica Animal.*

La Sexta Dinámica es el impulso hacia la existencia como el universo físico. El universo físico se compone de Materia, Energía, Espacio y Tiempo. En Scientology tomamos la primera letra de cada una de estas palabras (en inglés, Matter, Energy, Space y Time) y creamos una palabra: MEST. A esta se le puede llamar la *Dinámica del Universo.*

La Séptima Dinámica es el impulso hacia la existencia como espíritus o de los espíritus. Todo lo espiritual, con o sin identidad, entraría en el apartado de la Séptima Dinámica. A esta se le puede llamar la *Dinámica Espiritual.*

La Octava Dinámica es el impulso hacia la existencia como infinito. También se le identifica como el Ser Supremo. Se le llama la Octava Dinámica porque el símbolo del infinito,∞, en posición vertical es el número 8. A esta se le puede llamar la *Dinámica del Infinito* o *de Dios.*

Los scientologists normalmente las llaman por su número.

Otra manifestación de estas dinámicas es que como mejor se les podría representar es como una serie de círculos concéntricos, donde la Primera Dinámica sería el centro, y cada nueva dinámica sería, sucesivamente, un círculo alrededor de este.

La característica básica del individuo incluye su capacidad para expandirse así hacia las otras dinámicas. Pero sólo cuando se haya alcanzado la Séptima Dinámica en su totalidad, descubrirá uno la verdadera Octava Dinámica.

Como ejemplo del uso de estas dinámicas, nos damos cuenta de que un bebé, al nacer, no percibe más allá de la Primera Dinámica. Pero conforme el niño crece y se amplían sus intereses, puede verse que el niño abarca otras dinámicas.

Como un ejemplo más sobre su uso, una persona que es incapaz de funcionar en la Tercera Dinámica es, de inmediato, incapaz de formar parte de un equipo, y podría decirse entonces que es incapaz de llevar una existencia social.

Como comentario adicional sobre las ocho dinámicas, ninguna de estas dinámicas de la uno a la siete es más importante que ninguna de las otras en lo referente a orientar al individuo.

Las capacidades y deficiencias de los individuos pueden comprenderse examinando su participación en las diversas dinámicas.

Escala de Gradiente de Correcto e Incorrecto

La palabra *gradiente* se usa para definir "grados de reducción o aumento de una condición". La diferencia entre un punto y otro punto de una escala de gradiente podría ser tan diferente o tan amplia como el ámbito total de la escala en sí. O podría ser tan minúscula como para requerir del discernimiento más diminuto para establecerla.

Términos como *bueno* y *malo, vivo* y *muerto, correcto* e *incorrecto,* sólo se usan en conjunción con escalas de gradiente.

En la escala de correcto e incorrecto, todo lo que estuviera por encima de cero o del centro sería cada vez más y más correcto, acercándose a una corrección infinita; y todo lo que estuviera por debajo de cero o del centro sería cada vez más incorrecto, acercándose a una incorrección infinita. La escala de gradiente es una forma de pensar acerca del universo, que se asemeja a las verdaderas condiciones del universo más que ningún otro método lógico existente.

La resolución de todos los problemas es un análisis cuidadoso en cuanto a corrección e incorrección. Todo el problema de obtener respuestas correctas y respuestas incorrectas es un problema de grados de corrección e incorrección.

Las acciones o soluciones son, o bien más correctas que incorrectas (en cuyo caso son correctas) o más incorrectas que correctas (en cuyo caso son incorrectas).

Una incorrección máxima para el organismo sería la muerte: no sólo del organismo en sí, sino de todos los que están involucrados en sus dinámicas. Una corrección máxima para el organismo sería supervivencia durante un periodo razonable para sí mismo, sus hijos, su grupo y la Humanidad. Una INCORRECCIÓN ABSOLUTA sería la extinción del Universo y de toda la energía y de la fuente de la energía: el infinito de una muerte completa. Una CORRECCIÓN ABSOLUTA sería la inmortalidad del individuo mismo, sus hijos, su grupo, la Humanidad y el Universo y de toda la energía: el infinito de una supervivencia completa.

Gráfica de la Lógica

(Simplificada para la ilustración)

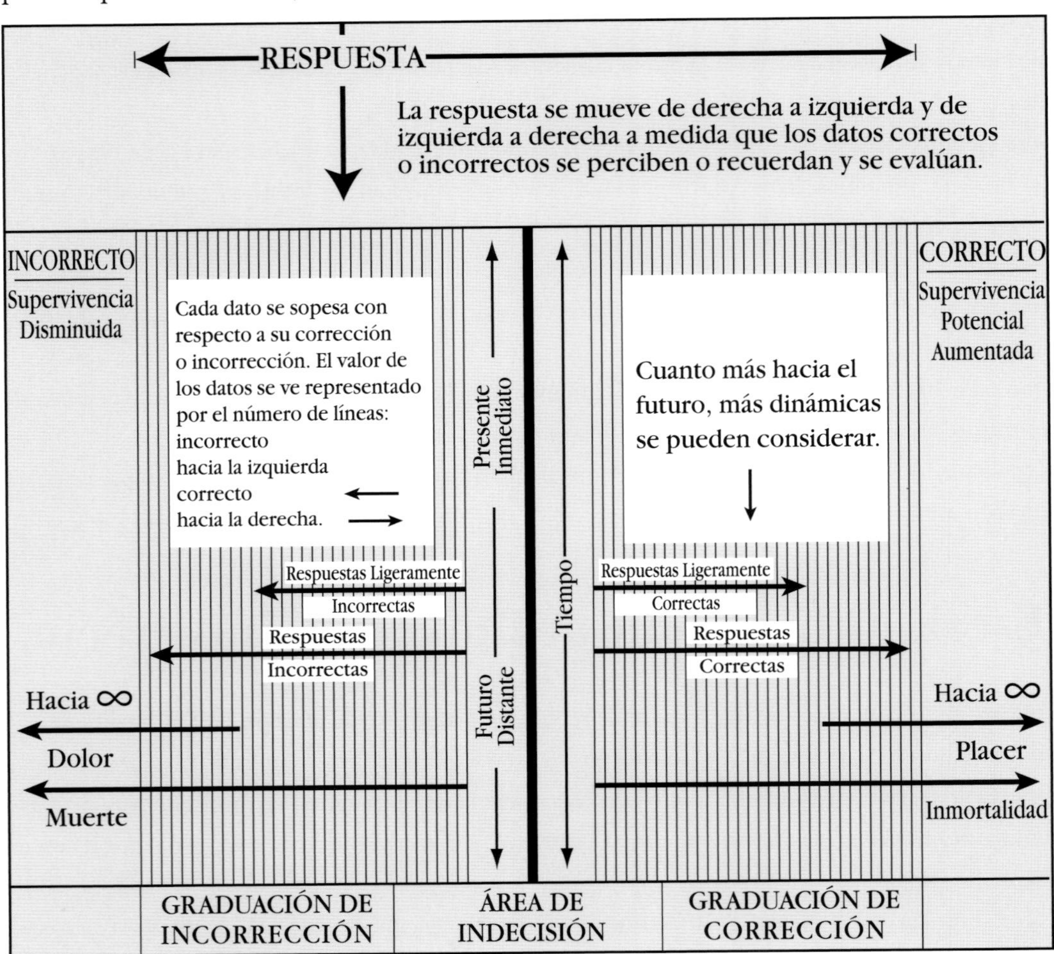

Si un hombre, un grupo, una raza o la Humanidad llevan a cabo sus razonamientos en un plano suficientemente racional, sobrevive. Y la supervivencia, ese impulso dinámico a través del tiempo hacia alguna meta sin anunciar, es placer. El esfuerzo creativo y constructivo es placer.

Si un hombre, un grupo, una raza o la Humanidad llevan a cabo sus razonamientos en un plano suficientemente irracional (por falta de datos, por tener un punto de vista distorsionado o simplemente por aberración) la supervivencia se reduce; se destruye más de lo que se crea. Eso es dolor. Esa es la ruta hacia la muerte. Eso es maldad.

La lógica no es ni buena ni mala en sí misma, es el nombre de un procedimiento de computación: el procedimiento de la mente en su esfuerzo por alcanzar soluciones a los problemas.

Ética, Justicia y las Dinámicas

Todo ser tiene una capacidad infinita para sobrevivir. Lo bien que llegue a lograrlo depende de lo bien que use la ética en sus dinámicas.

La Tecnología de Ética existe para el individuo.

Existe para darle al individuo una forma de aumentar su supervivencia y así liberarse de la espiral descendente de la cultura actual.

Ética

El tema completo de la ética es un tema que, con la sociedad en el estado en que se encuentra actualmente, ha llegado casi a perderse.

De hecho, la ética consiste en racionalidad hacia el más alto nivel de supervivencia para el individuo, la raza futura, el grupo, la Humanidad y las demás dinámicas tomadas colectivamente.

La ética es razón.

El arma más poderosa del hombre es su razón.

El nivel más alto de ética serían conceptos de supervivencia a largo plazo con destrucción mínima, a lo largo de todas las dinámicas.

La solución óptima a cualquier problema sería aquella solución que produjera los mayores beneficios al mayor número de dinámicas. La peor solución sería aquella solución que produjera el mayor daño al mayor número de dinámicas.

Las actividades que aportaran un mínimo de supervivencia a un menor número de dinámicas y dañaran la supervivencia de un mayor número de dinámicas no se podrían considerar actividades racionales.

Una de las razones de que esta sociedad esté muriéndose y todo lo demás, es que ha llegado a estar demasiado fuera-de-ética. La conducta racional y las soluciones óptimas han dejado de usarse hasta un punto en que la sociedad está en vías de extinción.

Con *fuera-de-ética* queremos decir una acción o situación en la que el individuo está involucrado, o algo que el individuo hace, que va en contra de los ideales, los mejores intereses y la supervivencia de sus dinámicas.

Que un hombre desarrolle un arma capaz de destruir toda la vida en este planeta (como en el caso de las armas atómicas y ciertas drogas ideadas por el ejército de EE.UU.) y la ponga en manos de políticos criminalmente dementes, obviamente no es un acto de supervivencia.

Que el gobierno provoque y cree activamente la inflación hasta tal punto que la depresión sea una verdadera amenaza para los individuos de esta sociedad, es una acción contra-supervivencia por no decir algo peor.

Esto llega a ser tan demente, que en una de las sociedades del Pacífico Sur, el infanticidio se convirtió en una pasión dominante. Había un suministro limitado de alimento y querían mantener bajo el índice de natalidad. Comenzaron a usar el aborto, y si esto no daba resultado mataban a los niños. Su Segunda Dinámica se vino abajo. Esa sociedad prácticamente ha desaparecido.

Estos son actos calculados para ser destructivos y dañinos para la supervivencia de la gente de la sociedad.

"El hombre es básicamente bueno. Es básicamente bienintencionado. No quiere dañarse a sí mismo ni a los demás".

La ética son las medidas que el individuo toma consigo mismo para alcanzar la supervivencia óptima para sí mismo y para los demás en todas las dinámicas. Las acciones éticas son acciones de supervivencia. Sin el uso de la ética no sobreviviremos.

Sabemos que el Principio Dinámico de la Existencia es: ¡SOBREVIVE!

A primera vista eso puede parecer demasiado básico. Puede parecer demasiado simple. Cuando uno piensa en la supervivencia podría cometer el error de pensar en términos de "lo mínimo necesario". Eso no es supervivencia. La supervivencia es una escala graduada, con el infinito o la inmortalidad en la parte superior y la muerte y el dolor en la parte inferior.

El Bien y el Mal, lo Correcto y lo Incorrecto

Hace años descubrí y demostré que el hombre es básicamente bueno. Esto significa que la personalidad básica y las intenciones básicas del individuo hacia sí mismo y hacia los demás son buenas.

Cuando una persona descubre que está cometiendo demasiados actos dañinos contra las dinámicas, se convierte en su propio verdugo. Esto nos da la prueba de que el hombre es básicamente bueno. Cuando descubre que está cometiendo demasiadas maldades, entonces, ya sea causativamente, inconscientemente o inadvertidamente, el hombre pone la ética dentro en sí mismo destruyéndose, y acaba consigo mismo sin ayuda de nadie más.

Esta es la razón de que el criminal deje pistas en el escenario del crimen, de que las personas desarrollen extrañas enfermedades que las imposibilitan y de que se provoquen accidentes e incluso decidan tener un accidente. Cuando violan su propia ética, comienzan a decaer. Esto lo hacen por sí mismas, sin que nadie más haga nada.

El criminal que deja pistas tras él, lo hace con la esperanza de que aparezca alguien que le impida continuar dañando a los demás. Él es *básicamente* bueno y no quiere dañar a los demás. Y al carecer de la capacidad de detenerse completamente a sí mismo, trata de poner la ética dentro en sí mismo haciéndose encarcelar para así no poder cometer más crímenes.

De manera similar, la persona que se imposibilita con una enfermedad o se involucra en un accidente, está poniendo la ética dentro en sí misma reduciendo su capacidad de dañar y quizás incluso alejándose totalmente del entorno que ha estado dañando. Cuando tiene intenciones malignas, cuando está siendo "intencionalmente malvada", aún sigue teniendo un impulso de también detenerse a sí misma. Trata de suprimir esas intenciones y cuando no puede hacerlo directamente, lo hace indirectamente. El mal, la enfermedad y la decadencia a menudo van de la mano.

El hombre es básicamente bueno. Es básicamente bienintencionado. No quiere dañarse a sí mismo ni a los demás. Cuando un individuo daña a las dinámicas, se destruirá a sí mismo en un esfuerzo por salvar a esas dinámicas. Esto se puede demostrar y se ha demostrado en innumerables casos. Este hecho es lo que prueba que el hombre es básicamente bueno.

"El nivel más alto de ética serían conceptos de supervivencia a largo plazo con destrucción mínima, a lo largo de todas las dinámicas".

Sobre esta base, tenemos los conceptos de correcto e incorrecto.

Cuando hablamos de ética, estamos hablando de conducta correcta e incorrecta. Estamos hablando del bien y el mal.

Se puede considerar que el bien es cualquier acción constructiva de supervivencia. Resulta que no puede haber ninguna construcción sin alguna pequeña destrucción, al igual que se debe derribar la destartalada casa de vecindad con el fin de hacer lugar para el nuevo edificio de departamentos.

Para que algo sea bueno, debe contribuir al individuo, a su familia, a sus hijos, a su grupo, a la Humanidad o a la vida. Para que algo sea bueno, debe contener construcción que supere la destrucción que contenga. Una nueva cura que salva cien vidas y mata una es una cura aceptable.

El bien es supervivencia. El bien es estar más en lo correcto de lo que se está equivocado. El bien es tener más éxito que fracaso en cuestiones constructivas.

Las cosas que complementan la supervivencia del individuo, su familia, su prole, su grupo, la humanidad, la vida y el MEST, son buenas.

Los actos que son más benéficos que destructivos en estas dinámicas, son buenos.

El mal es lo opuesto al bien, y es cualquier cosa que sea más destructiva que constructiva en cualquiera de las diversas dinámicas. Algo que causa más destrucción que construcción es maligno desde el punto de vista del individuo, la raza futura, el grupo, la especie, la vida o el MEST que destruye.

Cuando un acto es más destructivo que constructivo es maligno. Es fuera-de-ética. Cuando un acto ayuda a sucumbir más de lo que ayuda a la supervivencia, es un acto maligno en la medida en que destruye.

El bien, lisa y llanamente, es supervivencia. La conducta ética es supervivencia. La conducta maligna es contra-supervivencia. La construcción es buena cuando fomenta la supervivencia. La construcción es maligna cuando inhibe la supervivencia. La destrucción es buena cuando mejora la supervivencia.

Un acto o conclusión es correcto en la medida en que fomenta la supervivencia del individuo, la raza futura, el grupo, la Humanidad o la vida que llega a esa conclusión. Tener razón completamente sería sobrevivir hasta el infinito.

Un acto o conclusión es incorrecto en la medida en que es contra-supervivencia para el individuo, la raza futura, el grupo, la especie o la vida responsable de realizar ese acto o de llegar a esa conclusión. Lo más equivocada que una persona puede estar en la Primera Dinámica es muerta.

El individuo o grupo que, en promedio, está más en lo correcto que en lo incorrecto (puesto que estos términos no son absolutos, ni mucho menos) debería sobrevivir. Un individuo que, en promedio, está más en lo incorrecto que en lo correcto, sucumbirá.

Aunque no podría existir la corrección absoluta ni la incorrección absoluta, una acción correcta dependería de que ayudara a la supervivencia de las dinámicas directamente involucradas, una acción incorrecta impediría la supervivencia de las dinámicas involucradas.

Veamos ahora cómo encajan estos conceptos de correcto e incorrecto en nuestra sociedad actual.

Esta es una sociedad agonizante. La ética es algo que ha llegado a estar tan fuera y que se comprende tan poco, que esta cultura va camino de sucumbir a una velocidad peligrosa.

Una persona no se va a reanimar, esta sociedad no va a sobrevivir, a menos que la Tecnología de Ética se comprenda bien y se aplique.

Cuando vemos Vietnam, la inflación, la crisis del petróleo, la corrupción del gobierno, la guerra, el crimen, la demencia, las drogas, la promiscuidad sexual, etc., estamos viendo una cultura en vías de extinción. Este es el resultado directo de que los individuos no apliquen la ética a sus dinámicas.

Esto en realidad comienza con la ética individual.

La conducta deshonesta es contra-supervivencia. Cualquier cosa que produzca la destrucción de los individuos o de los grupos o inhiba el futuro de la especie, es irracional o maligna.

El que una persona mantenga su palabra cuando esta se ha dado solemnemente, es un acto de supervivencia, puesto que entonces se le tendrá confianza, pero sólo mientras mantenga su palabra.

"Los actos destructivos por lo general se hacen por miedo. Así pues, el mentiroso es inevitablemente un cobarde, y el cobarde es inevitablemente un mentiroso".

Para el débil, para el cobarde, para el censurablemente irracional, la deshonestidad y los tratos clandestinos, el perjudicar a los demás y frustrar sus esperanzas, parecen ser la única forma de conducirse en la vida.

La conducta no ética es en realidad la conducta de la destrucción y el miedo. Las mentiras se dicen porque uno tiene miedo de las consecuencias si dijera la verdad. Los actos destructivos por lo general se hacen por miedo. Así pues, el mentiroso es inevitablemente un cobarde, y el cobarde es inevitablemente un mentiroso.

La mujer sexualmente promiscua, el hombre que falta a la palabra dada a un amigo, el pervertido insaciable, se dedican todos a asuntos tan contra-supervivencia que la degradación y la desdicha son parte fundamental e inseparable de su existencia.

Es probable que a algunos les parezca completamente normal y perfectamente bien vivir en una sociedad sumamente degradada, llena de criminales, drogas, guerra y demencia, en la que nos encontramos ante una amenaza constante de aniquilación total de la vida en este planeta.

Bueno, permíteme decirte que esto no es normal y no es necesario. *Es* posible llevar vidas felices y productivas sin que los individuos tengan que preocuparse de si les van a robar o no si salen a la calle, o de si Rusia le va a declarar la guerra a Estados Unidos. Es una cuestión de ética. Es simplemente una cuestión de que los individuos apliquen la ética a sus vidas y tengan sus dinámicas en comunicación y sobreviviendo.

Principios Morales

Ahora tenemos la ética como supervivencia. Pero ¿qué hay de cosas como los principios morales, los ideales, el amor? ¿No están estas cosas por encima de la "mera supervivencia"? No, no lo están.

Las novelas románticas y la televisión nos enseñan que el héroe siempre vence y que el bien siempre triunfa. Pero parece ser que el héroe no siempre vence y que el bien no siempre triunfa. Adoptando una perspectiva limitada, podemos ver que la maldad triunfa por todas partes a nuestro alrededor. La verdad del asunto es que tarde o temprano la maldad va a perder. Uno no puede ir por la vida convirtiendo en víctimas a sus semejantes sin acabar de otra forma que no sea atrapado: siendo uno mismo la víctima.

"El crimen podría definirse como la reducción del nivel de supervivencia a lo largo de cualquiera de las ocho dinámicas".

No obstante, uno no observa esto en el curso normal de la vida. Uno ve que los villanos tienen éxito por doquier, amasando dinero de manera evidente, degollando a sus semejantes, beneficiándose de los fallos de los tribunales y llegando a gobernar a los hombres.

Si uno no observa la consecuencia final de esto, que cuya presencia es tan evidente como el hecho de que el Sol sale y se pone, comienza a creer que el mal triunfa, aunque se le haya enseñado que sólo triunfa el bien. Esto puede hacer que la persona misma experimente un fracaso y, de hecho, puede causar su perdición.

En cuanto a los ideales, a la honestidad, al amor que uno tiene por su prójimo, uno no puede encontrar una buena supervivencia para sí mismo ni para muchos cuando estas cosas están ausentes.

El criminal no sobrevive bien. El criminal común pasa la mayor parte de su madurez enjaulado como si fuera una bestia salvaje y vigilado por los rifles de buenos tiradores que le impiden escapar.

A un hombre conocido por su honestidad se le recompensa con supervivencia: buenos trabajos, buenos amigos. Y el hombre que tiene sus ideales, independientemente de cuánto se le pueda persuadir para que los abandone, sobrevive bien sólo en la medida en que sea fiel a esos ideales.

¿Alguna vez has visto a un médico que, motivado por el beneficio personal, comienza a atender secretamente a criminales o a traficar con drogas? Ese médico no sobrevive mucho después de abandonar sus ideales.

Los ideales, los principios morales, la ética, son parte todos de esta forma de entender la supervivencia. Uno sobrevive mientras sea fiel a sí mismo, a su familia, a sus amigos, a las leyes del universo. Cuando falla en cualquier aspecto, su supervivencia se reduce.

En los diccionarios modernos, encontramos que la *ética* se define como "principios morales", y que los *principios morales* se definen como "ética". Estos dos conceptos *no* son intercambiables.

Los *principios morales* deberían definirse como un código de buena conducta establecido a partir de la experiencia de la humanidad para que sirva como criterio uniforme para la conducta de los individuos y los grupos.

Los principios morales son en realidad leyes.

El origen de un código moral se produce cuando se descubre, mediante experiencia real, que cierto acto es más contra-supervivencia que pro-supervivencia. La prohibición de este acto entra entonces a formar parte de las costumbres de la gente y puede a la larga convertirse en una ley.

A falta de mayores poderes de razonamiento, los códigos morales, siempre y cuando proporcionen una supervivencia mejor para su grupo, son una parte vital y necesaria de cualquier cultura.

No obstante, los principios morales se convierten en una carga onerosa y se protesta contra ellos cuando se vuelven anticuados. Y aunque la rebelión contra los principios morales pueda tener como objetivo expreso el hecho de que el código ya no es tan pertinente como lo era en su día, las rebeliones contra los códigos morales generalmente ocurren porque los individuos del grupo o el grupo en sí se han vuelto fuera-de-ética hasta tal punto que desean practicar el libertinaje contra estos códigos morales, no porque los códigos en sí sean irrazonables.

Si un código moral fuera completamente racional, se podría considerar, al mismo tiempo, completamente ético. Pero sólo en este nivel superior se podría decir que los dos son lo mismo.

Lo máximo en cuanto a razón es lo máximo en cuanto a supervivencia.

La conducta ética incluye la adhesión a los códigos morales de la sociedad en que vivimos.

Justicia

Cuando un individuo no consigue aplicar la ética en sí mismo y no consigue actuar de acuerdo a los códigos morales del grupo, la justicia entra en acción.

En general, la gente no se da cuenta de que el criminal no sólo es antisocial, sino que también es anti-sí-mismo.

Una persona que está fuera-de-ética, que tiene sus dinámicas fuera de comunicación, es un criminal potencial o activo, pues continuamente perpetra crímenes contra las acciones pro-supervivencia de otros. El *crimen* podría definirse como la reducción del nivel de supervivencia a lo largo de cualquiera de las ocho dinámicas.

La justicia se usa cuando el comportamiento fuera-de-ética y destructivo del individuo comienza a afectar demasiado seriamente a otros.

En una sociedad regida por criminales y controlada por una policía incompetente, los ciudadanos identifican reactivamente cualquier acción o símbolo de justicia con la opresión.

Pero tenemos una sociedad llena de gente que no se aplica la ética a sí misma, y a falta de verdadera ética, uno no puede vivir con los demás y la vida resulta lamentable. Por lo tanto tenemos la justicia, que se desarrolló para proteger al inocente y al decente.

Cuando un individuo no consigue aplicarse la ética a sí mismo ni actuar de acuerdo a los códigos morales, la sociedad toma medidas de justicia contra él.

La justicia, aunque por desgracia no se puede dejar en manos del hombre, tiene como intención y propósito básicos la supervivencia y el bienestar de aquellos a quienes sirve. No obstante, la justicia no sería necesaria si tuvieras individuos lo bastante cuerdos y éticos para no intentar cercenar la supervivencia de los demás.

La justicia se usaría hasta que la ética propia de la persona la convirtiera en compañía adecuada para sus semejantes.

La Ética, la Justicia y tu Supervivencia

En el pasado, el tema de la ética en realidad no se ha mencionado demasiado. Sin embargo, la justicia sí que se mencionó. Los sistemas de justicia se han usado durante mucho tiempo como sustituto de los sistemas de ética. Pero cuando tratas de reemplazar la ética con la justicia, te metes en dificultades.

El hombre no ha tenido un auténtico medio funcional de aplicarse la ética a sí mismo. Los temas de la ética y de la justicia han estado terriblemente aberrados.

Ahora hemos puesto en orden la tecnología de la Ética y de la Justicia. Este es el único camino de salida que tiene el hombre en este tema.

La gente ha estado intentando poner su ética dentro durante eones sin saber cómo. La ética evolucionó con los intentos del individuo de obtener una supervivencia continua.

Cuando una persona hace algo fuera-de-ética (daña su supervivencia y la de los demás), intenta enmendar este daño. Por lo general acaba simplemente hundiéndose en un cave-in. (*Cave-in* significa un colapso mental y/o físico hasta el punto en que el individuo no puede funcionar de manera causativa).

Se causa un cave-in porque, en un esfuerzo por refrenarse a sí mismo e impedirse cometer más actos dañinos, comienza a retirarse y a apartarse del área que ha dañado. Una persona que hace esto se vuelve cada vez menos capaz de influir sobre sus dinámicas y así se convierte en víctima de estas. Se observa aquí el hecho de que uno tiene que haberle hecho a otras dinámicas esas cosas que ahora ellas parecen tener el poder de hacerle a él. Por lo tanto está en posición de ser dañado y pierde el control. De hecho, puede convertirse en una nulidad en cuanto a influencia y en un imán para las dificultades.

Esto se produce porque la persona no tiene la tecnología básica de Ética. Nunca se le ha explicado. Nadie le dijo jamás cómo podía salir del atolladero en que ella misma se había metido. Esta tecnología ha permanecido completamente desconocida.

Así que la persona ha acabado sumida en el vertedero.

La ética es uno de los instrumentos primarios que una persona usa para desenterrarse.

Sepa o no cómo hacerlo, toda persona intentará desenterrarse. No importa quién sea o lo que haya hecho, va a intentar poner su ética dentro, de una forma u otra.

Incluso en los casos de Hitler y Napoleón, hubieron tentativas de auto-restricción. Es interesante, al observar las vidas de estas personas, lo concienzudamente que trabajaron hacia la autodestrucción. La autodestrucción es su intento de aplicarse la ética a sí mismos. Trabajaron en esta autodestrucción en varias dinámicas. No pueden poner la ética dentro en sí mismos, no pueden refrenarse de hacer estos actos dañinos, así que se castigan a sí mismos. Se dan cuenta de que son criminales y ellos mismos se causan cave-in.

Todos los seres son básicamente buenos y tratan de sobrevivir lo mejor que pueden. Tratan de poner la ética dentro en sus dinámicas.

La ética y la justicia se desarrollaron y existen para ayudar al individuo en su impulso hacia la supervivencia. Existen para mantener las dinámicas en comunicación. La Tecnología de Ética es la auténtica tecnología de la supervivencia.

Las dinámicas de un individuo estarán en comunicación en la medida en que él esté aplicando la ética a su vida. Si uno conoce la Tecnología de Ética y la aplica a su vida, puede mantener las dinámicas en comunicación y aumentar continuamente su supervivencia.

Para eso existe la ética: para que podamos sobrevivir como queremos sobrevivir, por medio de tener nuestras dinámicas en comunicación.

La ética no se debe confundir con la justicia. La justicia se usa sólo después de que el individuo haya fracasado en usar la ética consigo mismo. Teniendo la ética personal dentro en las dinámicas, la justicia de Tercera Dinámica desaparece como un asunto de gran importancia. Ahí es donde logras un mundo sin crimen.

Un hombre que le roba a su patrón tiene su Tercera Dinámica fuera de comunicación con respecto a su Primera Dinámica. Va camino de una condena a prisión o, en el mejor de los casos, camino del desempleo, que no es lo que uno llamaría supervivencia óptima en la Primera y Segunda Dinámicas (por no mencionar el resto). Es probable que crea que al robar está mejorando su supervivencia; sin embargo, si conociera la Tecnología de Ética, se daría cuenta de que está dañándose a sí mismo y a otros, y que sólo acabará sumiéndose más en el vertedero.

El hombre que miente, la mujer que engaña a su marido, el adolescente que toma drogas, el político que está involucrado en tratos deshonestos, todos ellos están cavando su propia tumba. Están dañando su propia supervivencia al tener sus dinámicas fuera de comunicación y no aplicar la ética a sus vidas.

Puede que te sorprenda, pero un corazón limpio y unas manos limpias son la única manera de lograr felicidad y supervivencia. El criminal nunca tendrá éxito a menos que se reforme; el embustero nunca será feliz ni estará satisfecho consigo mismo hasta que empiece a tratar con la verdad.

La solución óptima para cualquier problema que presente la vida, sería la que llevara a un aumento de la supervivencia en la mayoría de las dinámicas.

Así, vemos que es necesario un conocimiento de la ética para la supervivencia.

El conocimiento y la aplicación de la ética son el camino de salida de la trampa de la degradación y el dolor.

Todos y cada uno de nosotros podemos alcanzar la felicidad y una supervivencia óptima para nosotros mismos y para los demás usando la Tecnología de Ética.

Qué Pasa Si las Dinámicas se Van Fuera-de-Ética

Es importante recordar que estas dinámicas comprenden la vida. No funcionan individualmente sin interacción con las demás dinámicas.

La vida es un esfuerzo de grupo. Nadie sobrevive solo.

Si una dinámica se va fuera-de-ética, queda fuera de comunicación (en mayor o menor medida) con respecto a las demás dinámicas. Para permanecer en comunicación, las dinámicas deben permanecer con la ética dentro.

Tomemos el ejemplo de una mujer que se ha apartado completamente de la Tercera Dinámica. No quiere tener nada que ver con ningún grupo ni con la gente de su ciudad. No tiene amigos. Se queda encerrada en su casa todo el día, pensando (con alguna idea descarriada de independencia o individualidad) que está sobreviviendo mejor en su Primera Dinámica. En realidad es bastante desdichada y solitaria, y vive atemorizada de los demás seres humanos. Para aliviar su desdicha y su aburrimiento, comienza a tomar sedantes y tranquilizantes, a los que se vuelve adicta, y luego comienza también a beber alcohol.

Está ocupada "resolviendo" su dilema con más acciones destructivas. Puedes ver cómo ha hecho que su Primera, Segunda y Tercera Dinámicas estén fuera de comunicación. Está destruyendo activamente su supervivencia en sus dinámicas. Estas acciones son fuera-de-ética en extremo, y no sería de extrañar que al final se quitara la vida con la mortífera combinación de sedantes y alcohol.

O tomemos al hombre que está cometiendo actos destructivos en el trabajo. No es necesario que estos actos sean grandes, pueden ser tan sencillos como llegar tarde al trabajo, no hacer un trabajo tan profesional en cada producto como de lo que él es capaz, estropear el equipo u ocultarle cosas a su patrón. No tiene que dedicarse abiertamente a la destrucción total de la empresa, para saber que está cometiendo actos dañinos.

Ahora, a medida que pasa el tiempo, este hombre se encuentra a sí mismo yéndose cada vez más fuera-de-ética. Siente que debe ocultar más y más, y no sabe cómo detener esta espiral descendente. Es muy posible que nunca se le haya ocurrido siquiera que podría detenerla. Carece de la Tecnología de Ética. Es probable que no se dé cuenta de que sus acciones están haciendo que sus dinámicas se salgan de comunicación.

Esto puede afectar a sus demás dinámicas de varias maneras. Es probable que sea un poco desdichado y, puesto que es básicamente bueno, se sentirá culpable. Llega a casa por la noche y su mujer dice alegremente: "¿Qué tal te fue hoy?", y él se encoge un poco y se siente peor. Comienza a beber para mitigar la desdicha. Está fuera de comunicación con su familia. Está fuera de comunicación en su trabajo. Su rendimiento en el trabajo empeora. Comienza a descuidarse a sí mismo y sus pertenencias. Ya no disfruta de la vida. Su vida feliz y satisfactoria se le escapa entre las manos. Como no conoce la Tecnología de Ética y no la aplica a su vida ni a sus dinámicas, la situación se sale de su control en buena medida. Sin darse cuenta, se ha convertido en efecto de su propia fuera-de-ética. A menos que enderece su vida usando la ética, morirá indudablemente siendo un hombre desdichado.

Ahora te pregunto: ¿qué clase de vida es esa? Por desgracia, es demasiado común en nuestros días.

La ética de una persona no puede irse fuera en una dinámica sin que esto tenga consecuencias desastrosas en sus otras dinámicas.

Es realmente muy trágico, y la tragedia se agrava por el hecho de ser tan innecesaria. Si el hombre tan sólo conociera la simple tecnología de Ética, podría lograr para sí la autoestima, la satisfacción personal y el éxito que sólo cree ser capaz de soñar, no de lograr.

El hombre busca la supervivencia. La supervivencia se mide en placer. Eso significa, para la mayoría de los hombres, felicidad, autoestima, la satisfacción personal de un trabajo bien hecho y éxito. Un hombre puede tener dinero, puede tener muchas posesiones personales, etc., pero no será feliz a menos que realmente tenga su ética dentro y sepa que consiguió esas cosas con honestidad. Esos ricos políticos y criminales financieros no son felices. Puede que el hombre común los envidie por su riqueza, pero son gente muy desdichada que la mayoría de las veces acaba fatal con la adicción a las drogas o al alcohol, el suicidio o algún otro medio de autodestrucción.

Echemos un vistazo al fuera-de-ética actual tan y tan habitual en la Segunda Dinámica. Por lo general, se considera que este comportamiento es perfectamente aceptable.

Es fácil ver cómo el fuera-de-ética en la Segunda Dinámica afecta a las demás dinámicas.

Digamos que tenemos a una mujer joven que tiene un matrimonio más o menos feliz y decide tener una aventura con su jefe, quien resulta ser un buen amigo de su marido. Esto es muy claramente fuera-de-ética, y también va contra la ley, aunque un número sorprendente de personas creen que esta clase de comportamiento es aceptable, o a lo sumo, ligeramente censurable.

No obstante, este es un acto muy destructivo. Ella sentirá culpa, se sentirá falsa y desdichada porque sabe que ha cometido una mala acción contra su marido. Sin duda, su relación con él sufrirá, y puesto que su jefe está experimentando algo muy parecido en su casa, ella y su jefe comenzarán a sentirse mal el uno con el otro a medida que empiezan a culparse mutuamente de su desgracia. Sus dinámicas acaban bastante enredadas y fuera de comunicación. Ella se sentirá desdichada en su Primera Dinámica, pues ha abandonado su propio código moral. Su Segunda Dinámica estará fuera de comunicación y puede que incluso comience a criticar a su marido y empiece a sentir antipatía hacia él. La situación en el trabajo es tensa, pues ella ahora ha perdido la comunicación con su jefe y sus compañeros de trabajo. Su jefe ha echado a perder su relación y amistad con el marido de ella. Ella está tan embrollada en estas tres dinámicas, que quedan totalmente fuera de comunicación con respecto a su Cuarta, Quinta y Sexta Dinámicas. Todo esto es el resultado de que la ética se vaya fuera en una sola dinámica.

Las repercusiones se extienden gradual y perjudicialmente por todas las dinámicas.

Nuestra supervivencia se asegura sólo mediante nuestro conocimiento y aplicación de la ética a nuestras dinámicas para mantenerlas en comunicación.

Con la ética, podemos alcanzar supervivencia y felicidad para nosotros mismos y para el planeta Tierra. *Ronald*

CAPÍTULO TRES

Crimen, Castigo y PSIQUIATRÍA

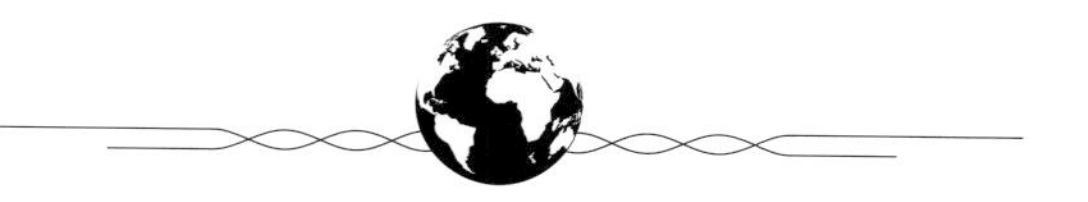

Crimen, Castigo y Psiquiatría

Si intentamos comprender al criminal del siglo XX, nos dice L. Ronald Hubbard, entonces tenemos que enfrentarnos finalmente con lo que ha precipitado el crimen del mundo moderno: o sea, la psiquiatría y la psicología.

Por otra parte, el vínculo es tan obvio, como cualquier conexión entre las drogas y el crimen (y cualquier astuto traficante atestiguará el hecho de que mucha de su mercancía había sido inicialmente preparada en laboratorios psiquiátricos). Ese vínculo, sin embargo, a fin de cuentas llega a un nivel mucho más profundo, y en realidad, abarca toda la base ideológica de la teoría psiquiátrica y psicológica.

La premisa es simple, perjudicialmente engañosa y nos ha llegado en buena medida de manera ininterrumpida desde Darwin, Wundt y Pavlov hasta todas las escuelas modernas de pensamiento psiquiátrico y psicológico: Si el ser humano es esencialmente un animal que desciende de un simio erecto asesino, entonces, seguramente todavía debemos tener cierta propensión biológica hacia la violencia. Después de todo, se arguye, ¿cuál es la fuerza que de manera más obvia y más apremiantemente que motiva la organización en todas las sociedades? La respuesta, sin duda, es la guerra. (Mientras que, por lo general, se desecha a la religión, considerándola como un esfuerzo supersticioso para obtener mediante rituales lo que la guerra gana mediante la fuerza, es decir, la dominación social).

Por lo tanto, lo que sigue a partir de esta premisa son dos escuelas de pensamiento: aquellas que tienden a interpretar todas las formas de comportamiento en términos de un código genético ineludible, del cual se hablará más, posteriormente. Y aquellas que nos ven como seres ligeramente más adaptables, cuyo comportamiento se modifica mediante partes iguales de experiencia adolescente y presión del medio ambiente.

En cualquiera de los casos, sin embargo, la ecuación es bastante sombría: en el análisis final, no somos ni más ni menos que simios asesinos yendo a toda velocidad. Si en ocasiones somos decentes, honestos y bondadosos, es simplemente porque hemos sido condicionados para serlo (a riesgo de ser excluidos instantáneamente de la tribu). Y quienes buscan una vida con un significado más elevado, sólo se están engañando. De hecho, nuestros setenta y pico años de supervivencia sólo pueden medirse en términos de gratificación sexual, ingestión de calorías y protección contra los miembros de las tribus rivales, es decir, cualquiera que esté más allá de "los del barrio".

Sobra decir que se podría argüir teóricamente, que bajo tal paradigma, la criminalidad no es anormal en absoluto. Más bien, es simplemente otra manera de enfrentar el contrato social (casi de la misma manera en que se ha sabido que los chimpancés solitarios empiezan a exhibir un comportamiento "criminal" cuando la tribu crece más allá de la medida viable). Pero dado que la psiquiatría y la psicología dependen de los fondos públicos a nivel estatal y federal, también han hecho del crimen un negocio.

Tradicionalmente, el enfoque psiquiátrico-psicológico con respecto al comportamiento criminal tomó dos formas, a menudo en conjunción una con la otra. Recurriendo a una bolsa de teorías muy conveniente que iban desde el condicionamiento pavloviano hasta el psicobalbuceo freudiano, el psicólogo intentó establecer programas de rehabilitación; mientras el psiquiatra experimentaba con una serie creciente de drogas psicotrópicas. (Como nota triste en la historia, un buen número de presos sirvieron de hecho, sin saberlo, como conejillos de indias de los psiquiatras para los experimentos con esas drogas, de la misma forma en que durante las décadas de 1930 y 1940, los presos sirvieron sin saberlo, como conejillos de indias para experimentos de electrochoques y experimentación psicoquirúrgica). En 1974, sin embargo, después de un estudio que tuvo mucha polémica, y que posteriormente se descubrió que se había llevado a cabo de forma totalmente errónea, se determinó que ningún programa importante podía presentar pruebas de eficacia en la rehabilitación del criminal. Después de lo cual, el psicólogo se alejó furtivamente de las celdas por falta de ingresos, mientras que el psiquiatra comenzó a distribuir drogas cada vez de manera más desmedida. En la actualidad, y a pesar de que se continúan asignando fondos federales a la investigación psiquiátrica en el campo de las fuentes genéticas y neuronales del comportamiento criminal (todo lo cual tampoco ha llegado a nada), por lo general la rehabilitación del criminal se sigue viendo como un sueño imposible. En lugar de rehabilitar al criminal, se le droga de manera rutinaria, para mantenerlo manejable, pero por otro lado se le deja seguir su propio camino, para bien o para mal. Entre tanto, una doctrina psiquiátrico-psicológica que en efecto justifica la criminalidad, continúa penetrando en la estructura de la sociedad a tal grado que, como LRH lo expresa sucintamente: "El psiquiatra y el psicólogo han desarrollado cuidadosamente una actitud pública, anárquica e irresponsable hacia el crimen".

El artículo de Ronald, "El Crimen y la Psiquiatría", que originalmente se publicó en 1969, explora estos temas más a fondo y aborda sus crudos detalles. ■

EL CRIMEN Y LA PSIQUIATRÍA

de L. Ronald Hubbard

Cuando se pone a criminales a cargo del crimen, el índice de criminalidad se eleva.

Las estadísticas de criminalidad vertiginosamente ascendentes que la policía está combatiendo, comenzaron a elevarse cuando el psiquiatra y el psicólogo se introdujeron en el campo de la educación y de la ley.

Solía suceder que un crimen era un crimen. Cuando un oficial de policía hacía su deber, su deber terminaba.

Ahora todo eso ha cambiado. Los criminales son "inadaptados" y "toda la sociedad es culpable de que lo sean" y el oficial de policía es una bestia por atreverse a interferir con estos pobres tipos.

Los psiquiatras y los psicólogos han desarrollado cuidadosamente una actitud pública anárquica e irresponsable con respecto al crimen.

Lo primero y más importante es que el hombre es sólo un animal sin alma que no puede responder por sus propios actos. Declaran que el hombre es un robot con botones de estímulo-respuesta y afirman que sólo *ellos* saben dónde se encuentran los botones.

Según estos "expertos" las personas "menesterosas" siempre se vuelven criminales, así que lo que hay que hacer es convertir al criminal en un ser privilegiado con muchos más derechos que la gente normal.

Pero el error principal que se encuentra en esta influencia psiquiátrica y psicológica es que esta gente escapa de la soga del verdugo sólo por el hecho de que proclaman a bombo y platillo que se encuentran por encima de la ley.

Diariamente estos hombres cometen crímenes de extorsión, violencia física y asesinato, en nombre de "ser un profesional" y del "tratamiento". No hay un solo psiquiatra vivo que trabaje en una institución psiquiátrica a quien, por la ley criminal común, no pudiera hacérsele comparecer ante un tribunal y declarársele culpable de extorsión, violencia física y asesinato. Nuestros archivos están llenos de evidencia sobre ellos.

Por medio de un truco mental han hipnotizado a algunos políticos para hacerles creer realmente que están trabajando en la "ciencia" y que ellos están por encima de la ley ya que es necesario que cometan esos crímenes.

La brutal realidad es que esta gente no tiene ni idea de qué hace funcionar a la mente. Si la tuvieran, podrían curar a alguien, ¿no es así? Pero no pueden curar ni lo hacen. Es obvio, ya que las estadísticas del crimen han subido vertiginosamente desde que estos archicriminales se infiltraron insidiosamente como gusanos en el campo del crimen.

Si pusieras a un verdadero impostor en una sala de máquinas para que la hiciera funcionar, tu sala de máquinas pronto quedaría hecha pedazos.

Esto es lo que ha sucedido en la sociedad. En lugar de dejar que la policía haga su trabajo, toda una nueva jerarquía de expertos impostores se ha impuesto por encima de este campo.

Por lo tanto, hay caos.

Si estos psiquiatras y psicólogos y sus grupos "Nacionales" de Salud Mental conocieran su trabajo, las estadísticas del crimen estarían descendiendo. Naturalmente. Pero no es así. Las estadísticas del crimen, desde que estos hombres se han hecho cargo de los tribunales de justicia, las prisiones, la educación y la asistencia social, se han elevado vertiginosamente hasta un punto en que el policía honesto está cerca de la desesperación.

CUALQUIER FUNCIONARIO CON EXPERIENCIA, ENCARGADO DEL CUMPLIMIENTO DE LA LEY, SABE MÁS SOBRE LA MENTE CRIMINAL QUE CUALQUIER "PSIQUIATRA CON UNA FORMACIÓN DE 12 AÑOS" O CUALQUIER "PSICÓLOGO CON UNA FORMACIÓN DE 6 AÑOS".

No es el más pequeño de sus crímenes el que absorban todos los presupuestos para rehabilitar a la gente y lleven a cabo activamente campañas en contra de toda iglesia y todo grupo cívico que solía ayudar en este problema.

Pero entonces, los verdaderos criminales de alto nivel no querrían que se resolviera el problema del crimen. ¿No es así? Ronald

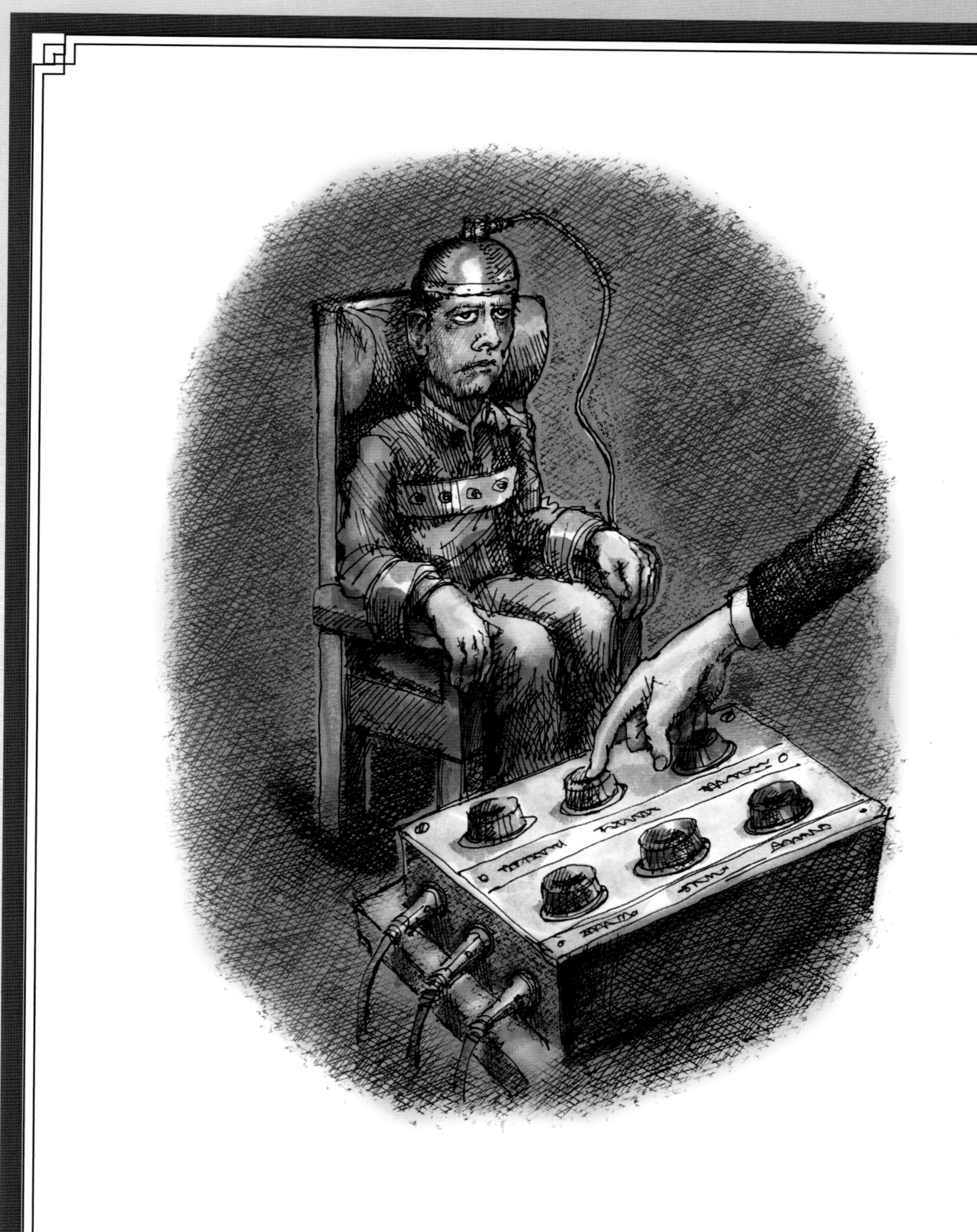

"Declaran que el hombre es un robot con botones de estímulo-respuesta y afirman que sólo ellos saben dónde se encuentran los botones".

La Comisión Real de Canadá

Con la publicación de Dianética: La Ciencia Moderna de la Salud Mental *en 1950 y la fundación de Scientology dos años más tarde, profesionales de una serie de disciplinas comenzaron a buscar el asesoramiento de L. Ronald Hubbard en temas relacionados con la interacción humana. La respuesta de Ronald a la Comisión Real de Canadá es característica. Habiendo observado el éxito extraordinario del empleo de Dianética y Scientology en la rehabilitación de los presos en las instituciones penitenciarias, el teórico en leyes canadiense D. M. Clouston, le pidió a LRH que valorara la postura de Canadá ante lo que se conoce como "defensa por demencia". De la misma forma característica, la respuesta de Ronald es exhaustiva. Al tratar de redefinir la criminalidad como una enfermedad mental incurable, explica, el psiquiatra nos ha causado otro perjuicio. De hecho: "La verdad categórica y terrible es que mientras la demencia pueda seguir siendo utilizada como una defensa, invitará a los criminales a adoptar ese estado".* ■

L. Ron Hubbard

11 de junio de 1954

Sr. D. M. Clouston, Presidente
The John Howard Society
St. John's, Newfoundland

Estimado Sr. Clouston,

Quiero agradecerle su enérgica carta sobre su testimonio, tal como podría presentarse ante una Comisión Real de Canadá, sobre los temas de "La Demencia como Defensa" y "Los Psicópatas Sexuales Criminales".

Usted afirma que la Comisión Real de Canadá se fundó con el propósito de investigar e informar sobre dos cuestiones:

1. Si debería existir alguna enmienda a la ley penal de Canadá relacionada con "La Demencia como Defensa".

2. Si debería existir alguna enmienda a las leyes existentes de Canadá relacionadas con "Los Psicópatas Sexuales Criminales".

Por lo que entiendo, usted tiene pensado proponer que sólo un terapeuta profesional con los detectores de que pueda disponer, está calificado para hacer un análisis justo del grado de cordura de una persona. Y en el segundo caso, usted tiene pensado que en lugar del castigo arbitrario que ahora se impone, deberían fijarse periodos de detención durante los cuales el preso debería recibir tratamiento terapéutico (preferiblemente de Scientology) y ponerlo en libertad sólo cuando se haya encontrado que ha dejado de tener las tendencias criminales por las que fue detenido.

Es muy alentador que una Comisión Real haya visto adecuado investigar esta esfera de justicia y es muy reconfortante ver que hayan invitado a un hombre de su valía para expresar sus criterios. Es posible que algo claramente definido pueda resultar de esto y parecería ser una perspectiva muy esperanzadora.

Me pregunta usted si considero si es o no acertada su forma de abordarlo y me invita a hacer las sugerencias que yo considere apropiadas. Y quiero darle las gracias por darme esta oportunidad y por su amabilidad.

En el Libro Tres, Capítulo 10 de *Dianética: La Ciencia Moderna de la Salud Mental* hay un ensayo de tres páginas sobre "Dianética Judicial" con el que usted parece, de acuerdo a su carta, estar un tanto familiarizado.

En lo que puedan servirle, deseo expresarle algunos comentarios generales sobre este asunto.

En derecho, todo el tema de la "demencia" está a la deriva ya que es como una astilla lanzada dentro de la definición ya existente de criminalidad. Cualquier confusión respecto a en dónde colocar la demencia dentro del derecho, proviene de la definición básica, dentro del propio derecho, de la demencia y de la criminalidad.

El derecho define la "criminalidad" más o menos como "acción a pesar del conocimiento del bien y del mal" y la demencia como "una incapacidad de diferenciar entre el bien y el mal". Si el derecho se basa en la idea de que todas las personas son egoístas y únicamente se interesan en sí mismas, entonces podremos diferenciar entre la criminalidad y la demencia. Pero si el derecho considerase al hombre como un animal social, básicamente debería considerar que cualquier acto que fuera intencionalmente dañino se originaría en una perspectiva mental que omitiría la diferenciación entre el bien y el mal. En otras palabras, nadie que estuviera cuerdo, en el pleno sentido de la palabra, se sentiría motivado por acciones que dañaran a su grupo o comunidad ya que se daría cuenta de que él, junto con los demás, sufriría como resultado de esas actividades. Y aún visto en términos prácticos, es evidente que el ladrón al cometer actos criminales incrementa la fuerza con la que se necesita imponer la ley en esa zona e inhibe todavía más su propia libertad.

Este es ante todo un problema relacionado con el grado de ilustración de la ley en sí. Es una cuestión de qué estándar la ley, o la sociedad, cuya voluntad representa la ley está dispuesta a reconocer; un estándar de conducta más alto que el que la ley ha impuesto durante los muchos años pasados. La sociedad se inclina cada vez más a entender la criminalidad como "antisocial".

La jurisprudencia puede darse por satisfecha con mantener su definición de que la demencia es la incapacidad para diferenciar el bien del mal. Pero este punto de vista puede ampliarse mediante investigaciones como la de la Comisión Real, y por la propia presión del público, que de hecho esa Comisión representa, para considerar a la demencia como, simplemente, la incapacidad de diferenciar.

En Estados Unidos, algunos modelos de pensamiento de los últimos años han obstaculizado el crecimiento de la justicia. El más sobresaliente entre ellos ha sido el extenderse, hablando largo y tendido sobre la "mente criminal" como una mente extrañamente diferenciada y distinta de las mentes de aquellos que no son criminales. Pero una mirada un poco más clara debería demostrar que incluso "la mente criminal" entra dentro de la propia definición legal de demencia: la incapacidad de distinguir el bien del mal. Es obvio que es malo que un ser dañe a su propia especie, a su propio grupo, a su propia sociedad. Por lo tanto un ser que cometiera actos dañinos no estaría distinguiendo el bien y el mal y debe tener por lo menos un toque de demencia.

Aquí se plantea el problema de "dónde trazar el límite". ¿En qué punto cesa un individuo de ser cuerdo y se convierte en un criminal? ¿En qué punto, entonces, deja de ser un criminal y se convierte en demente? La costumbre, de la que nació la ley, ha propuesto desde hace mucho tiempo la solución a este problema en su propia definición de demencia.

Para clasificar a los criminales, tendríamos que clasificar el crimen. Descubriríamos que el crimen estaba subdividido en crimen accidental y crimen intencional. La sociedad sólo castiga el crimen cuando lo considera intencional. Si el crimen es intencional, entonces la intención también tenía el motivo de dañar a la sociedad. De esta forma, una acción criminal, en términos generales, podía ser considerada como la acción de un demente, y todo ello dentro de la definición de la propia ley. Podría determinarse que cuando un hombre se rebaja a cometer una acción intencionalmente dañina contra sus semejantes, ha descendido al menos al primer estrato de la demencia. El derecho podría abrir su propio camino aplicando la clasificación de "demente" a los criminales.

En vista del hecho de que los sistemas de castigo del pasado no han reformado ni reducido la criminalidad, el derecho parece más inclinado a adoptar esta perspectiva y la *adoptaría* si pudiera demostrarse que esta incapacidad para diferenciar el bien del mal pudiera ser modificada para el mejoramiento de la sociedad. Dado que se ha encontrado que los sistemas carcelarios han intensificado la criminalidad más de lo que la han remediado, es plenamente factible que la ley pudiera considerar cómodamente un posible cambio de perspectiva sobre el tema y tratar a los criminales como lo que son: personas mentalmente trastornadas.

Con esta otra alternativa la ley se encuentra a menudo traicionada. Esta alternativa consiste en permitir que los criminales escapen de la ley por razones de "demencia". Si se comprueba que un criminal está demente, se le permite, al menos hasta cierto punto, escapar del castigo que normalmente recibiría por su acto. La ley, al mantener esta segregación, echa por tierra sus propios fines y se priva de su presa. Sólo frente a una casi absoluta falta de comprensión de la demencia, podrían las personas que se ocupan del gobierno convencerse de que la etiqueta de "demente" permitiría a los criminales escapar del castigo. Por lo tanto, en esa medida, la demencia en sí misma parece ser temida y es tolerada.

La verdad categórica y terrible es que mientras la demencia pueda seguir siendo utilizada como defensa, invitará a los criminales a adoptar ese estado. Además, las leyes que proporcionan de ese modo un escape del castigo, desatan las energías de muchos contra sus semejantes, quienes de otra forma se refrenarían. Por ejemplo, una persona ligeramente loca, debido a su "estado mental", podría considerar innecesario obedecer una ley que en realidad comprendía plenamente. Dista mucho de ser justo que la ley pueda proveer un escape para el culpable basándose en tales razones.

Al concentrar su atención en el hecho de que la demencia, si se demuestra, permitirá a una persona escapar de la justicia, la ley está pasando por alto el hecho de que el crimen aparentemente brota, de manera uniforme, de una incapacidad de distinguir en un grado que un hombre cuerdo normalmente consideraría racional. La ley se enfrenta al enigma de la demencia como una forma de frustrar la justicia y de esta forma, en el campo de la criminalidad se tiene que demostrar continuamente que no existe la demencia. No obstante, es hora de que se demuestre que la criminalidad es demencia. He trabajado con muchos criminales y he sido policía durante un corto periodo, con el fin de observar la criminalidad. Y mi observación directa y muy de cerca, es que cualquiera que tenga tendencias criminales está, en un sentido mucho más amplio, demente, y que su demencia no sólo se extiende mucho más allá del campo del crimen, sino que invade las áreas de la alucinación, el complejo de la persecución y las incapacidades mentales que en sí mismas son síntomas de demencia.

La demencia del criminal se produce debido a una convicción de que su primer grupo, la familia, no lo considera útil ni lo necesita, y se desarrolla a partir del reconocimiento de que la sociedad no lo quiere. Este es aparentemente el origen de esa actitud antisocial a la que llamamos criminalidad. La demencia sigue evolucionando mediante la continua asociación con otros que comparten la misma convicción y que forman grupos que están motivados por una necesidad de venganza contra la sociedad. Los métodos actuales de castigo y el trato policial sólo hacen más profunda esta convicción y puede decirse, en lo que respecta a las sentencias de prisión, que cuanto más castigo recibe un criminal, más aumenta su demencia en relación al mismo tema de su criminalidad. De esta forma la sociedad se convierte en víctima de sí misma al traer del ámbito de la alucinación a la cruda realidad el hecho de que ninguno de sus congéneres necesita a este individuo, a excepción de unos cuantos de sus más íntimos asociados. Al unir sus fuerzas en su sed de venganza contra la sociedad que los rechaza, estos criminales forman entonces sus propias sociedades. Y el resultado final de esta espiral descendente es el deterioro de la sociedad como un todo, bajo la coacción de leyes que buscando reprimir a la minoría, acaban oprimiendo a la mayoría. Sin esas bandas criminales, gente como Hitler, que dependía completamente de ellas para su ascensión al poder, carecerían de todo poder. Así, el tema de la criminalidad entra íntimamente al campo gubernamental.

Podríamos encontrar entonces que la demencia debería ser prohibida como defensa, pero que al mismo tiempo toda criminalidad, definida como daño intencional contra la sociedad, debería clasificarse como un grado mayor o menor de demencia, y que el criminal (como usted sugiere) debería ser uniformemente detenido para recibir tratamiento. Y también encontramos, al examinar este problema y ver los efectos desastrosos que tienen en la sociedad las puestas en libertad demasiado tempranas o no calificadas, que un criminal debería ser detenido hasta que se pudiera comprobar con plena certeza que no seguiría dañando a la sociedad. Esto último le asesta un golpe directo al sistema de libertad condicional, que es insatisfactorio en el mejor de los casos, y responsabilizaría por completo a los consejos encargados del sistema de libertad condicional para proteger a la sociedad de más actos criminales del preso liberado.

A falta de un tratamiento que pueda remediarlo y de medios prácticos para llevarlo a efecto, tal proceder sería considerado en extremo inhumano. Incluso el juez más endurecido podría disgustarse ante la idea de que la demencia no debería utilizarse nunca como defensa, y ante la intención de encarcelar a los criminales de por vida, si fuera necesario para defender a la sociedad contra sus depredaciones. Estas son medidas muy duras.

En la actualidad, sin embargo, varios experimentos han demostrado que el tratamiento de la criminalidad puede administrarse con muy bajo costo para el estado. Este costo es tan reducido como unos cuantos centavos por preso. Por medio de Procesamiento de Grupo, se ha hecho mucho en este campo. El tratamiento en sí, se administra mediante grabaciones en cinta magnética. El problema no podría haberse resuelto mientras fuera necesario administrar una terapia, que debido a la tecnología, era todavía individual. Pero con el avance del Procesamiento de Grupo, la mayoría de los criminales podrían ser rehabilitados y liberados por los consejos de libertad condicional, utilizando como criterio la cordura, sin daño para la sociedad. Aunque este procesamiento no fuera efectivo en todos los criminales a los que se administrara, según los estándares y prácticas actuales, podría al menos ser efectivo con la mayoría.

En cuanto a la segunda parte de los objetivos de la Comisión Real de Canadá, mi opinión es que las leyes relacionadas con "los Psicópatas Sexuales Criminales" no deberían ser diferentes de las leyes relacionadas con otros tipos de crímenes. Ya que el psicópata sexual, como Sigmund Freud reconoció hace tiempo, es una persona mentalmente enferma.

En ambos temas, encontramos que el derecho es capaz de progresar al grado en que esté dispuesto a aceptar su responsabilidad para con la sociedad en general. El objetivo y la función del derecho es proteger a los ciudadanos de la sociedad contra las depredaciones o prácticas criminales de la minoría. Si el derecho fuera totalmente responsable, actuaría de tal manera que protegiera totalmente a los ciudadanos contra el crimen. Esto no puede hacerse mediante la supresión de la ciudadanía en general, ya que esta supresión es la aplicación de reglamentos a la mayoría para controlar a la minoría.

Aun sin Scientology, sin adoptar sus prácticas, la ley podría ser mucho más eficaz para proteger a la sociedad en general, simplemente volviendo a clasificar lo que se quiere decir por "criminal" y respetando firmemente su propia definición de "demente". Con Scientology, una vez que se haya separado a los criminales y dementes de los demás, una vez que la ley haya establecido su propósito de forma definida y clara, el detener a los criminales hasta que vuelvan a ser más sociales, podría resolverse administrándoles procesos comprobados y poniendo en libertad a aquellos que hubieran respondido a nivel de grupo. Esto, sin embargo, es una perspectiva a muy largo plazo y es una postura demasiado firme para esperar que la adopte el sistema judicial, ya que este no puede regirse más que por las costumbres de la gente a la que sirve. Podría iniciarse un paso de gigante en esta dirección, sin embargo, al demostrar que grupos de prisioneros podrían experimentar cambios individuales mediante una reorganización de sus ideas, y liberando en la sociedad a los que se hayan beneficiado en esta forma, y siguiendo su trayectoria hasta que se estableciera con certeza si habían llegado a ser o no seres sociales. Con este paso y con la evidencia así generada, podría muy bien resultar una amplia evolución de la ley.

Deseo agradecerle sinceramente por haberme escrito. Espero que me informe más ampliamente sobre este tema, pues me interesa profundamente.

Con mis mejores deseos,
L. Ronald Hubbard

CAPÍTULO CUATRO

La Solución a la CRISIS MORAL MODERNA

The Way to
HAPPINESS

A COMMON SENSE GUIDE TO BETTER LIVING

L. RON HUBBARD

L. RON HUBBARD

THE WAY TO HAPPINESS

THE WAY TO HAPPINESS FOUNDATION

La Solución a la Crisis Moral Moderna

EN 1973, DESPUÉS DE UNA AUSENCIA DE ALREDEDOR DE DOCE años, Ronald regresó a Estados Unidos para una estancia prolongada en la ciudad de Nueva York. Su misión era sociológica, o dicho de forma más sencilla: volver a familiarizarse con una nación donde residían la mayoría de sus lectores. Con ese fin, se sumergió literalmente en un ámbito urbano en proliferación, y lo que encontró resultó ser muy preocupante. Entre las notas de este periodo, hay varias referencias a lo que describió como "la anulación del poder" del espíritu humano y un impulso hacia "el olvido" en una ausencia de esperanza. Mientras que en una conversación posterior, habló de una crisis cultural como la que no se había visto desde la Roma del siglo IV. Sin embargo, cuando en un periodo posterior se le pidió que resumiera sus impresiones de la vida del Manhattan de alrededor de 1973, de forma sencilla y evocativa, respondió que sentía como si "estuviera en una isla que había sido destruida por alguna fuerza superior".

La analogía es pertinente, y aunque las causas se han debatido durante largo tiempo, las estadísticas son indiscutibles: desde 1960 (un año después de que Ronald saliera de Estados Unidos) el crimen violento, en su mayoría relacionado con las drogas, había aumentado en más de un 250 por ciento. Durante el mismo periodo, los porcentajes de divorcio se habían duplicado, los nacimientos ilegítimos se habían incrementado proporcionalmente, mientras que el suicidio de adolescentes había aumentado un 360 por ciento adicional. Además, había algo que no se podía mostrar en estadísticas, pero que era finalmente igual de tangible: "Incluso alguien lo había notado y había escrito una canción al respecto", explicó Ronald, "Mi Ciudad Está Muerta".

Él no sacó conclusiones precipitadas y, de hecho, en una conversación posterior plantea esta pregunta en dos ocasiones: "¿Qué diablos le ha sucedido a esta cultura?". (Mientras añade, como si lo dijera para sí mismo, "Algo..."). Sin embargo, sus notas de Nueva York, que comprendían varias páginas de observaciones iniciales, definitivamente parecerían ofrecer una pista. En primer lugar, escribe: "Cuando no existe un código sobre la conducta correcta,

El primer código moral basado totalmente en el sentido común, *El Camino a la Felicidad* proporciona una guía universal para el vivir, que aplica a todas las personas en todas las culturas la supresión puede ser desenfrenada. Así, todo comportamiento puede entonces ser acusado de incorrecto o dudoso, por lo que puede darse el hostigamiento y la incertidumbre en el individuo". Luego considera de manera significativa que hay un paralelismo entre la disminución de la asistencia a la iglesia y la proliferación de la pornografía, haciendo notar una vez más: "Se busca más el olvido que un más allá", y de ahí el aumento en el abuso del alcohol y las drogas. Finalmente, y aquí está la pista que él seguiría cierto tiempo después:

"Cuando la religión no tiene influencia en la sociedad o se ha perdido, el estado hereda toda la carga de la moralidad pública. Entonces debe usar el castigo y la policía. Sin embargo, esto no tiene éxito ya que la moralidad que no es inherente en el individuo, no se puede imponer con gran éxito...

"Para ser moral, debe haber más razón y más motivación emocional, que la amenaza de disciplina humana".

A partir de ahí, continuó trabajando en este problema desde distintos frentes: con el desarrollo de un programa de Scientology para la rehabilitación de drogadictos (que finalmente demostró ser el de más éxito en el mundo); con el impulso continuo de la Tecnología de Ética de Scientology para la rehabilitación de poblaciones criminales; y al ver la relación entre el analfabetismo y la criminalidad, con la aplicación de las herramientas de aprendizaje de Scientology en el ámbito laico. Pero lo que vio cada vez más como la crisis moral subyacente, es lo que nos hace regresar al mismo problema central de la influencia psiquiátrica y psicológica.

"¿Qué harán los hombres si creen que sólo son barro?", preguntaba LRH desde su casa en el sur de California en 1981. Entonces agrega de manera significativa: "Como se le ha enseñado a creer que no es más que una bestia, ahora se está convenciendo de que él es la víctima indefensa de sus propias pasiones". Lo que le había llevado a esta declaración fue una pista de investigación que inició en 1976, al volver a establecerse en Estados Unidos. Y específicamente el punto en cuestión era la proliferación constante a la que Ronald se refería como un nuevo ataque de la teoría "el hombre proviene de barro", pero que más generalmente se conoce como psicología evolutiva o como Neodarwinismo Social.

Sus raíces son siniestras, y de hecho se abren camino justo a través de las teorías de la pureza racial del Tercer Reich y de la eliminación de seres inferiores. Mientras que más recientemente, un nuevo evangelio neodarwiniano fomentó comparaciones obscenas entre los porcentajes de homicidios dentro de las comunidades afro-americanas, con la violencia en comunidades superpobladas de mandriles. (Y, por supuesto, quién puede olvidar los monstruosos comentarios del sociobiólogo de Harvard, Edward O. Wilson referentes a los paralelos del comportamiento evolutivo entre los humanos y las termitas). Pero más siniestra todavía, es la creación final de esta psicología evolutiva, esa conclusión incierta de lo que LRH denominó como el "culto al átomo".

de ensayo sagrado", el mensaje se convierte en esto: Si el hombre es inmoral con demasiada frecuencia, se debe a que básicamente no hay moralidad más allá de la supervivencia según la ley del más fuerte, impuesta con una violencia encarnizada.

"Los lazos que mantuvieron unidos a los hombres como humanidad y los hicieron honorables, han sido escindidos por el ataque de un materialismo erróneo".

Resumida en una oración, la premisa es esta: Si el hombre no es más que una suma de su herencia genética, carente de alma, surgido de la "ciénaga de escoria primigenia", como los neodarwinistas mismos lo han expresado, entonces y de la misma forma, todo lo que él siente y hace no es otra cosa que un producto de la genética. Si ama, se debe a que está programado genéticamente para amar para la propagación de la raza. Si tiene miedo, similarmente sólo está respondiendo a algún código genético innato. Y por muy complejas que sean las circunstancias en lo social o en lo político, si mata, de igual manera está actuando sólo por un impulso genético arraigado profundamente. Sobra decir que más de una defensa contra una acusación de homicidio se ha presentado bajo el estandarte neodarwinista que en efecto dice: "todo estaba en los genes".

Y cuando uno toma todo *eso* y lo reduce hasta la esencia, en lo que Ronald denominó como "el tubo

La respuesta de LRH, desde el otoño de 1980, fue *El Camino a la Felicidad.* Como comentario preliminar, habló del código moral como una pauta tradicional para el acuerdo social. Si esos convenios tradicionales ya no parecían totalmente pertinentes para este siglo, habían servido lo suficientemente bien para su época. Como ejemplo pertinente están los Diez Mandamientos, reflejo de una existencia nómada, cimentada por la devoción a un solo Dios. De ahí que el primer mandamiento sea: "No tendrás dioses ajenos delante de mí". Asimismo, y por mucho que en la actualidad parezca irrelevante, la prohibición en contra de los ídolos, tomar el nombre de Dios en vano y una estricta observación del Sabbat, funcionaron para introducir un intenso fervor a una comunidad tribal. Asimismo, debido a que el Código de Moisés es esencialmente un artículo de fe, se mantuvo en vigor en la medida en que la fe perduró, o para llevar el argumento de nuevo hasta su punto de partida, hasta que fue usurpado por una doctrina materialista, lo que resulta ser un código puramente biológico: *Si lo necesitamos, tomémoslo; si nos hace sentir bien, hagámoslo; y si nos sentimos amenazados, entonces huyamos o matémoslo.*

Así, de formas en verdad concretas y alarmantes, declaró LRH: "Los valores sociales antiguos se han roto. No los han sustituido nuevos valores morales. El mundo de la dignidad cultural se encuentra actualmente en un estado de desintegración. Los lazos que mantuvieron unidos a los hombres como humanidad y los hicieron honorables, han sido escindidos por el ataque de un materialismo erróneo". Luego continuó señalando muy correctamente que, pertinentes o no, las influencias religiosas tradicionales estaban declinando rápidamente, aludiendo específicamente a una decisión del Tribunal Supremo de Estados Unidos que prohibió, en efecto, la enseñanza de los Diez Mandamientos. En consecuencia, concluyó: "La gente e incluso los niños en las escuelas han adoptado la idea de que los estándares morales elevados son cosa del pasado", lo que a su vez, lo condujo a esta pregunta de vital importancia: "¿Qué sucedería si uno sacara a la luz un código moral *no religioso*? Uno que fuera atractivo para el público. Uno que tuviera éxito entre la gente y se pudiera seguir. Uno que aumentara el potencial de supervivencia del individuo entre sus congéneres; y uno que la gente en general transmitiría a los demás".

El primer código moral que se basa plenamente en el sentido común, *El Camino a la Felicidad* ofrece 21 preceptos para la vida en lo que se ha convertido en una era cínica y en buena medida sin fe. El enfoque es totalmente lógico. Cada precepto marca los lindes del camino hacia una mejor supervivencia y felicidad para uno mismo y su prójimo. En ese aspecto, *El Camino a la Felicidad* se convierte en un verdadero código para el vivir, en una tecnología, por así decirlo. Así, por ejemplo, se recomienda ser moderado y abstenerse de usar drogas dañinas, no por principio, sino porque ese camino a la felicidad no se puede recorrer a menos que uno físicamente pueda disfrutar de la vida. De igual manera, se advierte en contra del libertinaje sexual, no de forma arbitraria, sino más bien porque que las relaciones y las familias se harán añicos ante la infidelidad. Con la misma lógica, se insta a los lectores a vivir con la verdad y a no presentar falsos testimonios, ya que "nadie es tan infeliz como aquel que trata de vivir en un caos de mentiras". Su advertencia contra actos criminales es también un asunto de razonamiento incontestable. Quienes cometen crímenes, ya sea que se les arreste o no, escribe: "quedan sin embargo debilitados ante el poder del estado". Además, indudablemente, no puede haber felicidad si uno comete asesinato o es él mismo asesinado.

Hay más, incluyendo los preceptos relativos a cuidar a los niños, honrar a los padres, proteger nuestro entorno, apoyar a la gente de buena voluntad y cumplir con las obligaciones. Además, en cada precepto se incluye una nota sobre su *aplicación,* como en el consejo de LRH de practicar para llegar a ser competente y alentar a los demás a ser industriosos. Mientras que a lo largo de todo el texto se encuentra esa verdad central tan clave y tan poderosa: La supervivencia, y por lo tanto nuestra felicidad, está vinculada de manera inextricable a todas las dinámicas.

La diseminación de este pequeño libro por sí sola, nos dice Ronald, puede cambiar, de hecho, la estructura de esta civilización. Puede ser en realidad el heraldo de "una nueva era en las relaciones humanas". Si la afirmación parece demasiado optimista, con más de 100 millones de ejemplares en circulación en la actualidad, vemos que no lo es. Aunque es difícil medir los efectos acumulativos (¿pues cómo se puede medir la tolerancia y la decencia con la misma precisión estadística que los porcentajes de asesinato?), como las páginas siguientes confirmarán, honestamente estamos siendo testigos de algo que puede describirse como milagroso. ■

Los veintiún preceptos de El Camino a la Felicidad pueden compararse a los lindes de una carretera. Para quienes saben dónde están esos lindes, esa carretera se convierte en una autopista lisa y de alta velocidad. Para marcar esos lindes de forma clara, las páginas de este pequeño libro ofrecen una explicación completa de cada precepto y su aplicación a la vida cotidiana. Bajo estas líneas se cita la introducción de Ronald al libro, y la simple declaración de los preceptos en sí.

Chabacano

Chino

Chino Tradicional

Creole

Croata

Hausa

Hebreo

Hiligaynon

Hindú

Húngaro

Letón

Lituano

Macedonio

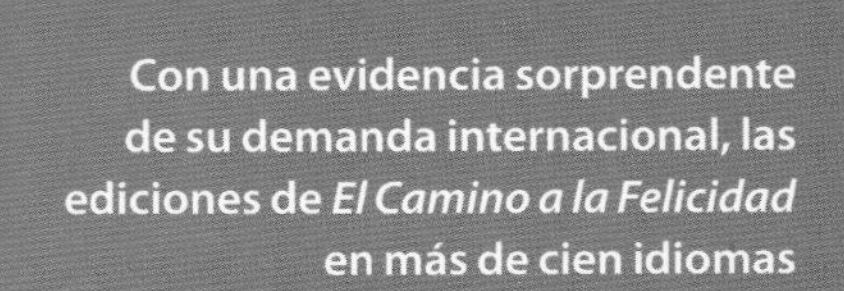

Samoano

Serbio

Senegalés

Siswati

Eslovaco

Vietnamita

Waray

Xhosa

Yoruba

Zulú

Bicolano

Bosnio

Búlgaro

Birmano

Catalán

Cebuano

Gallego

Georgiano

Alemán

Griego

Guaraní

Gujarati

Kinyarwanda

Kirundi

Coreano

Kirguise

Laosiano

Lakskiy

Polaco

Portugués

Portugués Brasileño

Punjabi

Rumano

Ruso

Tigrinya

Turco

Turcomano

Ucraniano

Urdu

Uzbeco

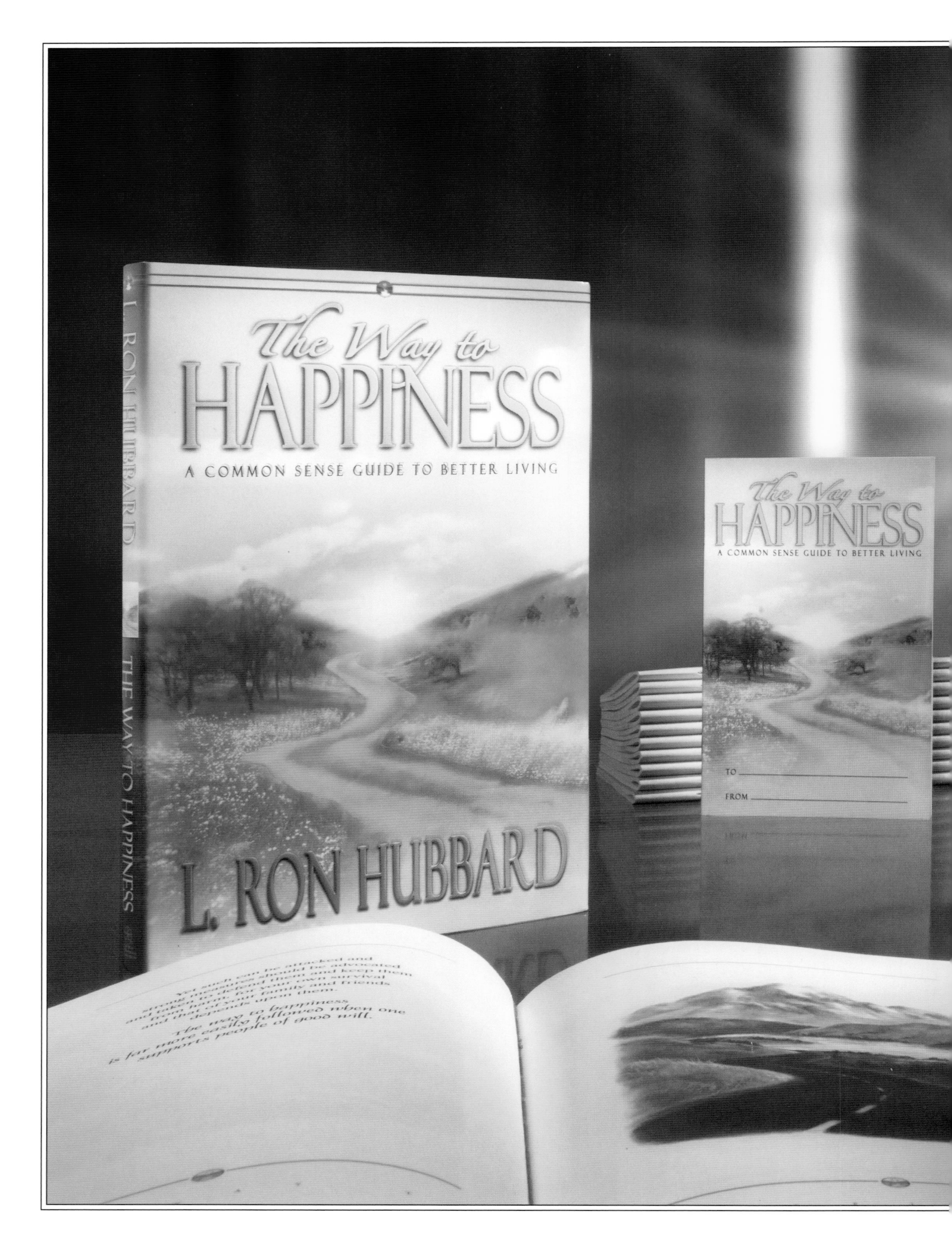

The Way to
HAPPINESS
A COMMON SENSE GUIDE TO BETTER LIVING
L. RON HUBBARD
L. RON HUBBARD
THE WAY TO HAPPINESS
The Way to
HAPPINESS
A COMMON SENSE GUIDE TO BETTER LIVING
TO
FROM
The way to happiness
is far more easily followed when one
supports people of good will.

FELICIDAD

de L. Ronald Hubbard

La verdadera alegría y felicidad son valiosas.

Si no sobrevivimos, no podemos lograr alegría y felicidad.

Es difícil tratar de sobrevivir en una sociedad caótica, deshonesta y que por lo general es inmoral.

Cualquier persona o grupo trata de obtener de la vida tanto placer como le sea posible y de estar tan libre de dolor como le sea posible.

Tu propia supervivencia puede estar amenazada por las malas acciones de quienes te rodean.

Tu propia felicidad puede volverse tragedia y pesar a causa de la deshonestidad y mala conducta de otros.

Estoy seguro de que puedes recordar ejemplos en que esto realmente sucedió. Tales injusticias reducen tu supervivencia y dañan tu felicidad.

Eres importante para otras personas. Te escuchan. Puedes influir en otros.

La felicidad o infelicidad de otras personas a quienes podrías nombrar es importante para ti.

Usando este libro y sin que te sea muy difícil, puedes ayudarles a sobrevivir y a llevar vidas más felices.

Aunque nadie puede garantizar que otra persona pueda ser feliz, se pueden mejorar sus posibilidades de supervivencia y felicidad. Y al mejorarse las de ellos, también las tuyas se mejorarán.

Tienes el poder de señalar el camino a una vida menos peligrosa y más feliz. Ronald

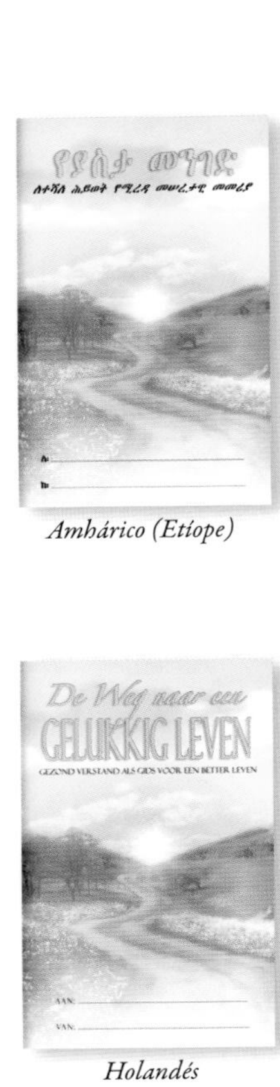

Amhárico (Etíope)

Árabe

Armenio

Vasco

Belaruso

Bengalí

Holandés

Ewe

Farsi

Filipino

Finlandés

Francés

Japonés

Jawa Kromo

Kannada

Pampanga

Kazaco

Jemer

Nepalés

Pidgin Nigeriano

Sotho del Norte

Noruego

Pangasinan

Pashto

Sueco

Tagalogo

Tamil Indio

Tamil Malayo

Tailandés

Tigriño

Español de Latino América

Aceh

Afrikáans

Albanés

Checo

Danés

Farsi

Islandés

Igbo

Ilocano

Indonesio

Italiano

Malgache

Malayo

Maorí

Mongol

Ndebele

Esloveno

Somalí

Español Castellano

Inglés

Suajili

Preceptos Morales de

El Camino a la Felicidad

1. CUIDA DE TI MISMO.
2. SÉ MODERADO.
3. NO SEAS PROMISCUO.
4. AMA Y AYUDA A LOS NIÑOS.
5. HONRA Y AYUDA A TUS PADRES.
6. DA UN BUEN EJEMPLO.
7. BUSCA VIVIR CON LA VERDAD.
8. NO ASESINES.
9. NO HAGAS NADA ILEGAL.
10. APOYA A UN GOBIERNO IDEADO Y DIRIGIDO PARA TODA LA GENTE.
11. NO DAÑES A UNA PERSONA DE BUENA VOLUNTAD.
12. PROTEGE Y MEJORA TU MEDIO AMBIENTE.
13. NO ROBES.
14. SÉ DIGNO DE CONFIANZA.
15. CUMPLE CON TUS OBLIGACIONES.
16. SÉ INDUSTRIOSO.
17. SÉ COMPETENTE.
18. RESPETA LAS CREENCIAS RELIGIOSAS DE LOS DEMÁS.
19. TRATA DE NO HACER A LOS DEMÁS LO QUE NO TE GUSTARÍA QUE TE HICIERAN A TI.
20. INTENTA TRATAR A LOS DEMÁS COMO TE GUSTARÍA QUE TE TRATARAN.
21. FLORECE Y PROSPERA.

El libro *El Camino a la Felicidad* en película presenta visualmente el texto íntegro de los veintiún preceptos. Presenta los preceptos con una trama multicultural y está diseñado para llegar a los diversos grupos humanos a los que *El Camino a la Felicidad* siempre ha tenido la intención de llegar. Así, el niño marginado, el adolescente privado de privilegios, la madre degradada, el padre voluntarioso, por no mencionar al ciudadano común, todos pueden apreciar ahora *El Camino a la Felicidad* con una profundidad que sólo un medio audiovisual hace posible.

La Fundación Internacional de El Camino a la Felicidad en Glendale, California, donde se coordina una distribución global a más de doscientas naciones y a más de cien millones de personas

CAPÍTULO CINCO

Fundación de El Camino a
LA FELICIDAD

The Way to HAPPINESS
FOUNDATION • INTERNATIONAL

Fundación de El Camino a la Felicidad

CON LA PUBLICACIÓN DE *EL CAMINO A LA FELICIDAD* EN 1981, la respuesta ha sido inmediata y considerable. Principalmente, la distribución se logra por medio del patrocinio y la coordinación de la Fundación de El Camino a la Felicidad en Glendale, California. De forma ya habitual, se donan paquetes con una docena de ejemplares en nombre de negocios, escuelas, cuerpos cívicos, grupos juveniles, instituciones de servicio social y organizaciones de policía y militares. Los folletos también se distribuyen en forma habitual, de mano en mano, en que las personas le presentan *El Camino a la Felicidad* a sus amigos y compañeros de trabajo, quienes a su vez entregan ejemplares a otras personas. De esa forma, los folletos circulan por todos los vecindarios y comunidades exactamente de acuerdo con esta metáfora de LRH: *"Cuando un guijarro se tira en un estanque puede crear ondas hasta la orilla más lejana".* Esto también se refleja con las portadas especialmente diseñadas que llevan mensajes personales, nombres y logotipos de toda clase: desde oficinas profesionales y corporativas hasta gobiernos civiles y agencias policiacas; desde atletas internacionalmente aclamados hasta primeros ministros y presidentes de una nación. Lo que LRH quería señalar aquí es:

"Está en tus manos señalar el camino hacia una vida menos peligrosa y más feliz".

Esto también se refleja en los diferentes proyectos para la juventud que dan a los jóvenes la oportunidad para demostrar preceptos como: "Protege y Mejora Tu Medio Ambiente" y "Da Un Buen Ejemplo". Asimismo, los concursos de ensayos y los programas de lectura sobre El Camino a la Felicidad involucran a cerca de diez mil escuelas y a millones de estudiantes. Más aún, aquellos que imaginen que tales concursos podrían ser un completo fracaso en esta época de suspicacia, desprecio y fría violencia, están equivocados. Mientras que casi todos los educadores notaron cambios de actitud positivos en los estudiantes que participaron, muchos informaron de cambios verdaderamente dramáticos; por ejemplo la escuela de Tel Aviv donde una campaña de El Camino a la Felicidad eliminó la violencia descontrolada de los patios escolares. De manera

La Fundación de El Camino a la Felicidad da la bienvenida a cualquiera que se interese en el aspecto moral de su comunidad; por ejemplo, legisladores, oficiales encargados del cumplimiento de la ley y líderes religiosos

Con más de 350 oficinas en todo el mundo, El Camino a la Felicidad se ha distribuido en más de 200 naciones

similar, e incluso en forma más gráfica, después de los disturbios en la ciudad de Los Ángeles en 1992, la distribución coordinada de *El Camino a la Felicidad* se describió como un regalo caído del cielo, y no indebidamente, pues poco después miembros de pandillas notoriamente violentas estaban quitando el graffiti de unos 130 edificios. La drástica reducción en los índices de criminalidad en toda el área de Hollywood se atribuyó en parte al folleto; y por eso los preceptos se mostraron en carteles en Hollywood Boulevard y en las ediciones del Departamento de Policía de Los Ángeles. También tenemos el caso del pueblo rural de Canadá donde los alarmantes niveles de violencia descendieron más del 85% después de la distribución de los folletos. En Harlingen, Texas, el Concurso: "Da Un Buen Ejemplo" llevó *El Camino a la Felicidad* a todos los hogares, y poco después disminuyeron los crímenes de casi cualquier categoría y las tasas anuales de homicidio cayeron a cero.

"El Camino a la Felicidad es la receta apropiada, administrémosla en dosis generosas por todo el mundo".

Sobra decir que, al haberse distribuido ejemplares en más de cien idiomas y en unas doscientas naciones, hay mucho, mucho más que decir. El folleto se introdujo a una Colombia profundamente atormentada a principios de la década de 1990 y pronto tuvo una amplia distribución gracias al esfuerzo de las cadenas de periódicos nacionales y del Ministro de Educación, quien recomendó *El Camino a la Felicidad* a todos los educadores colombianos. Poco después, la policía colombiana y las agencias militares adoptaron el folleto y causaron un efecto extraordinario. En realidad, y en todos los efectos, las ediciones colombianas de *El Camino a la Felicidad* "volaron" en lo que sólo se podría describir como un acontecimiento espectacular. Es decir: todas las divisiones de la Policía Nacional Colombiana y todas las ramas del Ejército Colombiano: la armada, la marina, las fuerzas aéreas, e incluso las

Revirtiendo la decadencia moral con más de 100 millones de folletos de El Camino a la Felicidad distribuidos en más de 100 idiomas

curtidas fuerzas especiales, llevaron los programas de *El Camino a la Felicidad* a las academias donde se forman los cadetes. Además, con las campañas de distribución organizadas por la policía y el ejército, que literalmente llenaron las ciudades de folletos, y con una continua transmisión de anuncios sobre El Camino a la Felicidad en la televisión nacional, ocurrió lo inaudito y lo inconcebible: por primera vez en la historia colombiana, el notoriamente insidioso índice de criminalidad de pronto empezó a caer en picado. Homicidio, secuestro, robo de autos y asalto, todos cayeron pronunciadamente a niveles nunca vistos en décadas, hasta que finalmente Colombia pudo jactarse de tener uno de los índices de criminalidad más bajos en América Latina. De ahí que los vecinos envidiosos quisieran saber cómo había ocurrido el "Milagro de Colombia"; y de ahí que las subsecuentes delegaciones colombianas presentaran los folletos a sus agencias hermanas.

Del mismo modo, tenemos relaciones entre la distribución de folletos y la reducción del crimen en todas las zonas en crisis del Oriente Medio. En cuanto a corrupción, las agencias encargadas del cumplimiento de la ley y el orden en Pakistán ocupaban el primer lugar (y eso representa mucha corrupción). Por consiguiente, los índices de criminalidad tuvieron un incremento inaudito (la mayor parte por razones políticas y en realidad impulsada por terroristas). Como respuesta, y por orden expresa del Inspector General de la Policía de Pakistán, la Fundación Internacional del Camino a la Felicidad inició seminarios de entrenamiento sobre cada precepto en todas las academias centrales, a los que asistieron más o menos el 10 por ciento de los policías regionales. El resultado final fue otra sorprendente nota adicional sobre *El Camino a la Felicidad*. En este caso, los atracos a los bancos, los asaltos en las carreteras, el robo de coches y los

"Si se pusiera a las personas en comunicación unas con otras y pudieran compartir entre ellas un camino hacia la felicidad, el mundo de hecho cambiaría".

Derecha
La Fundación de El Camino a la Felicidad presenta los veintiún preceptos en más de cien idiomas

secuestros, se redujeron en más de 30 por ciento en cuestión de meses.

También tenemos lo que ocurrió en el Congo, donde la Misión de Paz de El Camino a la Felicidad distribuyó unos veinte mil folletos entre los grupos rebeldes en la frontera de Ruanda. Inmediatamente después, mientras los corresponsales del *New York Times* informaban que los grupos rebeldes estaban absortos en el folleto, los jefes militares pidieron la intervención de las unidades de las Naciones Unidas en la zona. A continuación, los folletos también se presentaron a las tropas contrincantes en Ruanda, se logró un pacto y los rebeldes de hecho dejaron las armas.

Hay mucho más de otras partes en relación con el índice moral:

- Después de una serie de irregularidades escandalosas, la liga profesional de béisbol de Taiwán adoptó el folleto para recuperar a sus admiradores.

- De manera similar, los gitanos eslovacos adoptaron el folleto en lo que se recuerda como el "Milagro de Jasov", llamado así por el hecho de que la distribución del folleto inspiró la limpieza instantánea de aldeas que durante mucho tiempo se habían descuidado y un 40 por ciento de descenso en los índices de crímenes violentos.

- Una vez más, la distribución de folletos a lo largo de Cisjordania y la franja de Gaza tuvo tal efecto calmante que se solicitaron de inmediato varios millones de ejemplares. Se entregaron traducciones tanto en hebreo como en árabe, mientras que los israelíes y los palestinos distribuyeron ejemplares de forma conjunta (lo que incluye personal militar de Israel y ministros palestinos). En consecuencia, como lo expresó el Ministro General de Educación de Palestina: "Por primera vez en mi vida, vi a muchísimos judíos israelíes, jóvenes y viejos, hombres y mujeres, arriesgando su vida para apoyar, ayudar y proteger a los palestinos".

- Finalmente, y no para suponer más de lo que los hechos sugieren, sólo dos semanas después de la distribución de *El Camino a la Felicidad* en Bosnia (donde los periódicos locales reimprimieron el texto para el personal civil y militar, y el folleto gozó de una amplia difusión en los medios diplomáticos) tres años de negociaciones finalmente fructificaron en la terminación formal de las hostilidades.

Lo importante es, y sin considerar la forma en que uno desee interpretar cualquiera de los casos específicos que aquí se presentan, que *El Camino a la Felicidad* ha demostrado ser una potente fuerza para la paz y para la reducción de la criminalidad. Por consiguiente, la Fundación de El Camino a la Felicidad continua dando servicio a un movimiento en expansión que de hecho se compara con el efecto de un guijarro en un estanque. En que los círculos se expanden hacia afuera para alcanzar la orilla más lejana, haciendo así que todo lo que L. Ronald Hubbard declaró en un principio se haga realidad.

"Si se pusiera a las personas en comunicación unas con otras y pudieran compartir entre ellas un camino hacia la felicidad, el mundo de hecho cambiaría". ■

Improving
CONDITIONS

Improving Conditions

How to Deal with Ups &

Criminon

"No hay una verdadera razón por la cual no se pueda detectar al criminal e incluso reformarlo". –L. Ronald Hubbard

Por tanto, el primer programa que utilizó la tecnología de LRH para la rehabilitación de criminales comenzó en 1952. Una actividad bastante modesta, financiada con los fondos obtenidos por las conferencias de LRH, en la que miembros de la Iglesia de Scientology de Londres participaron como voluntarios. Su meta era la rehabilitación de delincuentes juveniles, que entonces estaba apareciendo en la Inglaterra de postguerra. Hacia 1954, herramientas tomadas de Dianética y Scientology comprobaron su eficacia una vez más en la Prisión Folsom en California y en la rehabilitación de delincuentes en Arizona, momento en que todo estaba listo para lo que conocemos hoy en día como Criminon (sin crimen).

Todo comenzó en Nueva Zelanda, una zona que en aquel entonces se consideraba remota, y el programa pronto alcanzó un impulso internacional. De hecho, hoy en día una oficina mundial de Criminon coordina las herramientas de rehabilitación de LRH y la entrega de *El Camino a la Felicidad* a reclusos y a convictos en libertad condicional en más de cincuenta naciones. El programa completo incluye tanto las herramientas de LRH para la rehabilitación de la ética como el curso por correspondencia de El Camino a la Felicidad para ayudar a los presos a aplicar los veintiún preceptos. Dada la relación entre el analfabetismo y la criminalidad, el programa completo incluye las famosas herramientas de alfabetización de LRH para incrementar en gran medida la comprensión de la lectura. Otros aspectos de la tecnología de LRH ayudan a los presos a no reincidir en la vida criminal y un Curso de Comunicación les ayuda a enfrentar la vida en vez de retirarse de ella: lo que en sí provocaría la condición criminal. Sobra decir que el programa no aprueba los métodos psiquiátricos y psicológicos. Por consiguiente, Criminon cuenta con el apoyo total de los reclusos que han llegado a desconfiar de la psiquiatría y de los oficiales de correccionales que tan frecuentemente han sido defraudados por los psicólogos. Además, cuando el

Izquierda Miembros del primer programa de rehabilitación en prisión utilizando la tecnología de L. Ronald Hubbard en la prisión estatal de Arizona, en 1967

Izquierda Los materiales del programa de Criminon: estos cursos de estudio, que constituyen un camino a una nueva autoestima, se entregan ahora en más de mil instituciones penales en cinco continentes programa se utiliza en todo un sistema penitenciario, los resultados en términos de reincidencia y reducción de la violencia son completamente asombrosos.

Como el caso de un estudio llevado a cabo por Daniel O. Black, Director del Juzgado Juvenil y Oficial Jefe de Libertad Condicional en Butler County, Alabama. Black había informado previamente de un 80% de reincidencia entre los jóvenes en libertad condicional. Como Black explicó brevemente, el problema era que: "Para muchos de esos chicos, un par de zapatos Nike en realidad tenía más valor que la vida de alguien. Así que resultó muy evidente que no llegaríamos a ninguna parte a menos que encontráramos alguna forma de reajustar esos valores con valores que fueran más apropiados para la sociedad".

En lo que entonces describió como un programa experimental, se distribuyó el folleto entre los presos o se les leyó en voz alta. Luego se animó a los jóvenes a encontrar formas en que se podrían aplicar los preceptos y, cuando los niveles de alfabetización lo permitían, a escribir un ensayo sobre cada precepto. "Yo podría fingir que es más complejo", confesó Black, "pero en realidad es muy simple. Les ayudo con la definición de las palabras que no entienden y por otra parte continúo animándoles en relación con la aplicación, un elemento de vital importancia". Después de lo cual, como él lo expresó con toda franqueza: "Los resultados llegaron a ser espectaculares". Mediante cifras, Black informó que aunque los porcentajes de criminalidad de Butler County habían estado subiendo en la misma proporción que los promedios nacionales, después de la introducción de *El Camino a la Felicidad*, de inmediato hubo una disminución del crimen.

"No hay una verdadera razón por la cual no se pueda detectar al criminal e incluso reformarlo".

Además, e incluso en forma más espectacular, ese porcentaje de reincidencia disminuyó de forma repentina y extraordinaria: de un 80 por ciento a un 10 por ciento.

En lo que ha llegado a ser un campo sin esperanza, en el que porcentajes mínimos del presupuesto de las correccionales se asigna al tratamiento, y los celadores habitualmente afirman que sólo pueden pasar el problema de la rehabilitación a los oficiales de libertad condicional, la cifra resulta inmensamente significativa. Y tanto más cuando se reconoce que tal éxito no es exclusivo de Butler County. "Espectaculares", es como otro funcionario juvenil describió los resultados del programa Criminon en un centro de detención de Los Ángeles, y mencionó un marcado descenso de la hostilidad, un incremento en el deseo de comunicar y: "Aunque parezca extraordinario, ahora sienten remordimiento por lo que han hecho en el pasado".

Entre delincuentes de mayor edad aparentemente incorregibles, los resultados obtenidos fueron aún más espectaculares. Una prisión mexicana extremadamente violenta fue testigo de una caída del 70 por ciento en las tasas de reincidencia después de la implementación de un programa de Criminon, y eso en medio del tráfico de drogas intenso en los bloques de celdas, que también desapareció gracias a las tecnologías de LRH. También tenemos lo que esas tecnologías han llegado a representar en las prisiones de máxima seguridad de Sudáfrica caracterizadas por sobrepoblación, uso de la fuerza y, hasta la llegada de Criminon, una violencia tan excesiva que fueron comparadas con una "tierra perdida". No fue extraño, entonces, que un programa de Criminon que redujo a cero la violencia dentro de las prisiones fuera calificado como un verdadero milagro. El Comisionado de Servicios Correccionales de Sudáfrica anunció públicamente: "Lo más notable es que ninguno de los que han hecho el programa de El Camino a la Felicidad y ha sido liberado de la prisión ha regresado desde entonces".

Se podría decir mucho más. A petición del Ministerio de Asuntos Internos de Ruanda, se pidió al equipo de entrega de Criminon que instruyera a los hutus que perpetraron la masacre tutsi de 1994. Casi inmediatamente después, guardias de cinco diferentes recintos informaron que no había habido ningún incidente de violencia en lo que antes había sido un campo de batalla. De ahí, la descripción de Criminon como algo parecido a una intervención divina; lo que hizo que los tribunales de justicia y reconciliación de Ruanda suspendieran las sentencias de quienes se graduaban en el programa.

"... ninguno de los que han hecho el programa de El Camino a la Felicidad y ha sido liberado de la prisión ha regresado desde entonces".

De manera similar, Criminon se introdujo en sistemas penitenciarios completos en Indonesia por decreto ejecutivo. El programa incluye un Centro Nacional de Criminon para dar entrenamiento a quienes ahora se conocen como Expertos en Rehabilitación de Criminon, ya que están capacitados para trabajar simultáneamente con las herramientas y las tecnologías de LRH a lo largo

Más de 1,500 prisiones en todo el mundo han utilizado la tecnología de rehabilitación para criminales de L. Ronald Hubbard

de todo el espectro de instituciones correccionales, de máxima, mínima y súper máxima seguridad. Ahora se cuenta incluso con un centro que se dedica exclusivamente a la entrega de Criminon, mientras que un antiguo Director General de Correccionales actúa como coordinador de programas a nivel nacional.

"El Camino a la Felicidad te muestra la consecuencia de tus acciones. Entiendes el resultado de lo que haces. Es para ti".

Hay mucho más. Con la autorización del Palacio Presidencial de Panamá, se implementó un programa piloto de Criminon en un centro penitenciario femenil que se consideraba un caso perdido. Dieciocho meses más tarde, dicho centro se transformó tanto que ahora se le considera el modelo estándar de Centro América. Mientras tanto, y tan definitivamente como en otros sitios, un Capitán de Servicios Correccionales del Departamento de Estado de Nueva York declara: "Los métodos que emplea actualmente el sistema penitenciario han sido totalmente ineficaces, y el resultado ha sido la alta tasa de reincidencia. La tecnología de rehabilitación que utiliza Criminon representa el *único* medio realmente funcional para solucionar la carga de la creciente población criminal".

Sin embargo, y una vez más, nada es tan elocuente como los mismos graduados, y en especial el hecho de que su mensaje se repita desde ubicaciones tan diversas. En Polonia, por dar otro ejemplo, *El Camino a la Felicidad* se reimprimió en las prensas de la misma prisión. Sin embargo, considerando el lugar donde empezó gran parte del trabajo de Ronald, parece más adecuado centrar la atención en un joven graduado del programa juvenil en

La reincidencia se reduce al 0% después del programa de Criminon

Los Ángeles. Las palabras de un antiguo pandillero de barrio, que rondaba las oscuras calles de la División Central donde LRH patrulló tantos años antes, parecerían decirlo todo:

"El Camino a la Felicidad te muestra la consecuencia de tus acciones. Entiendes el resultado de lo que haces. Es para ti. Te enseña la Regla de Oro. Yo solía oír hablar de ella, pero esto la pone en perspectiva. Ahora sé lo que significa".

"Yo no sé quién es este L. Ronald Hubbard, pero es un hombre listo. Si la gente solamente le hiciera caso a ese libro, El Camino a la Felicidad, si la masa de la gente simplemente lo entendiera, lo tomara, pensara en él, entonces el mundo sería un lugar diferente". ■

Algunos de los miles de reconocimientos y proclamaciones otorgadas a L. Ronald Hubbard por su contribución en los campos de la ética, la justicia y la moralidad

"Lady Justice"
Stands as an icon of the Eternal Moral Vector
that's still in our judicial system,
The principle that like a sword stroke on evil steel
Rings and sings psalms of truth and reason
Brings calm things of a just society
to beings free to rise to heights serene.
Presented to commemorate the centennial celebration of L. Ron Hubbard's birth (1911-2011)
and bestows a recognition for his profound contributions in the criminal justice system in the areas
of drug rehabilitation and prison reform. These are ongoing social challenges that continue
to call for the leadership of vigorous men of intellect the likes of Mr. Hubbard who have inspired
individuals to take control of their own lives and influence the lives of others in a positive way.
Honorable Richard B. Sanders
Justice, Washington Supreme Court (retired)

Epílogo

En la actualidad, en formas que son de hecho mucho más espectaculares que los informes de violencia criminal en las noticias vespertinas, la aplicación de los descubrimientos de L. Ronald Hubbard están haciendo que muchos hombres vuelvan a tener vidas decentes de honor y autoestima. Como hemos visto, la forma en que Ronald llegó a hacer esos descubrimientos es asimismo un logro mucho más espectacular que la aprobación de nuevos proyectos de ley sobre el crimen o la construcción de nuevas prisiones. Pero lo que en última instancia es más espectacular al respecto, es la visión que le permitió allanar el camino hacia el honor y la autoestima. Probablemente se resumió mejor en una conferencia grabada de 1956 titulada "El Deterioro de la Libertad", en donde LRH con gran sencillez y elocuencia proclamó:

"Admito que algún hombre de vez en cuando se asustará y se quedará totalmente paralizado con la idea de que cada uno de sus semejantes representa una amenaza. Admito que un ser humano se puede aberrar tanto que constituya una amenaza para la mayoría de la sociedad, y que en tal caso es necesario volver a familiarizarlo con la sociedad. Pero no admitiré que haya un hombre en la Tierra que sea malvado por naturaleza".

APÉNDICE

GLOSARIO

∞ (símbolo de infinito): símbolo matemático que representa el infinito. Pág. 51.

abandono: total falta de inhibición o autocontrol. Pág. 69.

aberración: desviación respecto al pensamiento o comportamiento racional. Del latín *aberrare:* desviarse, ab: lejos, y errare: andar errante. Básicamente significa equivocarse, cometer errores o, más específicamente, tener ideas fijas que no son verdad. La palabra se usa también en su sentido científico. Significa desviarse de una línea recta. Si una línea debería ir de A a B, entonces, si está "aberrada", iría de A a algún otro punto, a algún otro punto, a algún otro punto, a algún otro punto, a algún otro punto, y finalmente llegaría a B. Tomada en su sentido científico, significaría también falta de rectitud o ver las cosas de forma torcida, como por ejemplo, un hombre ve un caballo, pero cree ver un elefante. La conducta aberrada sería conducta incorrecta, o conducta no respaldada por la razón. Pág. 11.

aberrado: sujeto a la *aberración* o afectado por ella. Pág. 60.

abismo: profundidad grande, imponente y peligrosa. Pág. 2.

absoluto: **1.** Completo o perfecto en cuanto a cualidad o naturaleza. Pág. 52.
2. Aquellas cosas, condiciones, etc., que son perfectas y completas en su calidad o naturaleza. Pág. 56.

abstracto: idea o término que no considera aspectos relacionados con la base o el objeto material de algo. Pág. 1.

afirmación: algo que se declara o se expresa enfáticamente (como verdadero). Pág. 89.

Agencia Metropolitana de Detectives: una agencia de detectives fundada en 1936 que prestaba una variedad de servicios, incluyendo la búsqueda de personas desaparecidas, protección en las fábricas y vigilancia. Pág. 13.

agravar: empeorar, hacer más grave. Pág. 63.

Alabama: estado en el sureste de Estados Unidos. Pág. 110.

alas deslucidas de un buitre: se refiere al color oscuro de las amplias alas de un *buitre*, nombre que se da a diversas aves de rapiña. La mayoría no tienen plumas en la cabeza y el cuello, tienen un pico ligeramente curvo y la amplitud de sus alas alcanza más de tres metros. Pág. 21.

Alaska: estado de Estados Unidos, situado al noroeste de Norteamérica, separado del resto de la región continental del país por una parte de Canadá. Pág. 24.

Alcatraz: prisión de alta seguridad que antes se usaba para encarcelar criminales extremadamente peligrosos; estaba en la isla de Alcatraz en la bahía de San Francisco. Originalmente Alcatraz fue una fortaleza y cárcel española, está formada por tres hectáreas de roca sólida, casi constantemente está envuelta en neblina y rodeada de corrientes peligrosas, lo que hace que sea casi imposible escapar y le da a la isla su horrible reputación. El ejército de Estados Unidos la usó como prisión (1858-1933) y luego se usó como prisión federal hasta que la cerraron en 1963. Pág. 23.

alma mater: escuela, colegio o universidad a la que uno ha asistido y en la que por lo general se ha graduado. Pág. 23.

Alvarado Street: nombre de una calle en Los Ángeles, California que lleva el nombre de Juan Bautista Alvarado (1809-1882) gobernador mexicano de California de 1836 a 1842. La sección sur de la calle Alvarado se encuentra en una parte de la ciudad que ha sido conocida por su alto nivel de crimen. Pág. 14.

amasar: reunir una gran cantidad de dinero u otro tipo de bienes, generalmente poco a poco y durante un largo periodo. Pág. 59.

analfabeto, prácticamente: condición en que la habilidad de alguien para leer y escribir no se ha desarrollado adecuadamente, lo que hace difícil o imposible que la persona desempeñe actividades diarias que requieren de estas habilidades. Pág. 16.

analogía: comparación entre dos cosas que son similares en ciertos aspectos, se usa a menudo para explicar algo o para que sea más fácil de comprender. Pág. 18.

anglosajón: persona de raza blanca y lengua inglesa, tomada como representante general de los pueblos anglosajones. El término se refiere a las antiguas tribus germánicas (Anglos y Sajones) que se establecieron en Bretaña durante los siglos V y VI. Pág. 23.

animal social: el hombre concebido como un animal que vive o se siente inclinado en vivir en comunidades. Pág. 76.

antecedente: historia, sucesos, características, etc., del pasado de la vida de una persona. Pág. 29.

anticuado: que no es aceptable conforme a los estándares actuales; obsoleto. Pág. 59.

antisocial: hostil o que ocasiona trastornos en el orden social establecido; comportamiento que por lo general es dañino para el bienestar de la gente. Pág. 60.

apto: idóneo, hábil, a propósito para hacer alguna cosa. Pág. 13.

arbitrario: que se basa en juicios o percepciones personales y no en la naturaleza invariable de algo. Pág. 50.

archicriminal: criminal de alto nivel o que está a la cabeza. *Archi-* da la idea de prominencia y superioridad. Pág. 72.

ardiente: intensamente dedicado, deseoso o entusiasta. Pág. 21.

Arizona: estado situado en el suroeste de Estados Unidos. Pág. 109.

arresto (por un ciudadano): arresto que lleva a cabo un ciudadano si alguien comete un crimen grave en su presencia. La autoridad de ese arresto brota del hecho de ser un ciudadano. Pág. 12.

artículo de fe: creencia religiosa fundamental de un grupo o una persona. Se usa para referirse a los *artículos* o partes de una declaración formal o de un cuerpo de reglas, creencias, etc., consideradas como un todo. Pág. 87.

asistencia social: dinero u otras cosas que una agencia del gobierno da a la gente pobre o necesitada. Pág. 24.

aspirante: persona que pretende un empleo, distinción, título, etc. Pág. 2.

atenuante: algo que disminuye la culpa o castigo. Pág. 46.

Atlanta: ciudad y capital del estado de Georgia, un estado en el sudeste de Estados Unidos. Pág. 3.

atolladero, salir del: salir de un estado de fracaso o ruina, deterioro o colapso. Un *atolladero* es una situación incómoda, comprometida o peligrosa de la que es difícil salir. Pág. 35.

atómico: que utiliza *energía atómica,* energía que se produce cuando la parte central de un átomo (núcleo) se separa. Después, los trozos del núcleo golpean otros núcleos (centros de átomos) y causan que se dividan, creando así una reacción en cadena, la cual va acompañada de una enorme liberación de energía, como en una bomba atómica. Pág. 53.

atrocidad: conducta brutal o inhumana, cruel. Pág. 15.

aventurarse: emprender algo riesgoso; temerario. Pág. 24.

axiomático: autoevidente; obviamente cierto. Pág. 14.

B

barbarie: ausencia de cultura; ignorancia incivilizada que se caracteriza por una crueldad salvaje y violenta. Pág. 18.

bombo y platillo: presentación ruidosa y llamativa, comparable al uso de *bombos y platillos* en la música. Un bombo es un tambor muy grande; platillo es un instrumento musical formado por dos piezas de metal que se chocan una con otra. Pág. 71.

borrón y cuenta nueva: frase con que se expresa la decisión de olvidar deudas, errores, enfados, etc., y continuar como si nunca hubiesen existido. Pág. 10.

Bosnia: país cuyo nombre oficial es Bosnia y Herzegovina, que se encuentra en la parte sureste de Europa, donde ocurrió una guerra civil en la década de 1990. Pág. 107.

budista: relacionado con el *Budismo,* religión fundada por Gautama Siddhartha Buda (563-483 A.C.), religioso, profesor y filósofo hindú. El budismo enfatiza disciplina física y espiritual como medio para liberarse del universo físico. *Buda* significa alguien que ha alcanzado la perfección intelectual y ética por medios espirituales. Pág. 33.

Burks, Arthur J.: (1898–1974) escritor estadounidense cuyo enorme aporte a las pulps incluye historias de aviación, de detectives, de aventura y horror. Pág. 8.

cabo: militar de categoría inmediatamente superior a la de soldado. Pág. 23.

calibre 22: arma que tiene un diámetro interno de aproximadamente 5 milímetros (.22 pulgadas). Pág. 21.

calorías: unidades de energía que se usan para medir la cantidad de energía que proporciona la comida. Pág. 68.

calumnia: acusación falsa hecha maliciosamente para causar daño. Pág. 46.

calvinista: perteneciente o que sigue las doctrinas de calvinismo: la soberanía de Dios, la suprema Autoridad de las escrituras y el hecho de que ciertos individuos han sido escogidos o predestinados a la salvación. Pág. 17.

carga de profundidad: barril grande lleno de material explosivo diseñado para hundirse y explotar a cierta profundidad; se usa para destruir submarinos. Pág. 11.

cartucho(s): pieza cilíndrica que contiene la pólvora y la bala que se coloca en una pistola. Pág. 14.

causativo: característico o que tiene la naturaleza de ser causa en oposición a efecto; originado o producido por los esfuerzos de uno mismo; capaz de causar cosas, efectivo. Pág. 32.

C.C.C.: siglas de *Cuerpo Civil de Conservación*, agencia del gobierno de Estados Unidos (1933-1942) que se organizó para dar trabajo a los jóvenes desempleados asignándoles tareas relacionadas con el desarrollo y conservación de los recursos naturales del país (madera, tierra y agua). Se formó durante la Gran Depresión (periodo de crisis económica y reducción de las actividades de negocios que ocurrió en Estados Unidos en 1929 y se extendió a lo largo de casi toda la década de 1930). Los participantes recibieron entrenamiento laboral y trabajaron construyendo carreteras, barreras contra inundaciones y presas; plantando árboles, poniendo líneas de teléfono, mejorando parques y apagando incendios forestales. Pág. 24.

centro de detención: centro para delincuentes juveniles (menores de cierta edad, normalmente dieciocho años, que habitualmente violan la ley). Es una instalación segura para aquellos que normalmente esperan una sentencia y/o ser enviados a programas disciplinarios a largo plazo por haber cometido crímenes juveniles, como posesión de drogas o robo. A los delincuentes juveniles normalmente se les mantiene en un centro de detención para asegurarse de que se presentan ante un tribunal, y también por razones de seguridad pública. Pág. 111.

cercenar: disminuir o acortar. Pág. 60.

Chefú: un nombre anterior de *Yantai* una ciudad y puerto en el este de China. Pág. 30.

cimentar: referido a algo inmaterial, afianzarlo o asentar sus principios o sus bases. Pág. 87.

cínico: que muestra cinismo, desvergüenza o descaro al mentir, o al defender o practicar algo que merece desaprobación o reproche. Pág. 88.

Cisjordania: área de Medio Oriente entre el banco occidental del río Jordán y la frontera oriental de Israel. Israel ocupó Cisjordania en 1967, donde prevalecía una gran mayoría palestina. Durante la década de 1990, muchos sectores de Cisjordania se transfirieron a la administración palestina. Pág. 106.

cívico: relacionado con los deberes o actividades de los ciudadanos, a diferencia de los del ejército, etc., por ejemplo, organizaciones comunitarias o clubes formados para mejorar la vida en la comunidad. Pág. 72.

civil: acción legal en la que participan personas o grupos, a diferencia de los casos criminales. Pág. 45.

coacción: presión, de fuerza o amenaza, para hacer a alguien actuar o pensar de cierta forma contra su voluntad o buen juicio. Pág. 79.

Código de Moisés: ley que, de acuerdo con el Antiguo Testamento, Dios dio a los israelíes a través de Moisés. La ley de Moisés empieza con los Diez Mandamientos e incluye las numerosas reglas de las prácticas religiosas contenidas en los primeros cinco libros del Antiguo Testamento. En el judaísmo, estos libros se llaman el Tora, o "la Ley". Pág. 87.

código genético: disposición de los genes (partes básicas de las células capaces de transmitir instrucciones de una generación a la siguiente) que controla el desarrollo de características y cualidades en un ser vivo. Pág. 67.

código moral: código acordado de conducta correcta e incorrecta. Pág. 1.

Código Penal: conjunto de leyes que se ocupan de diversos crímenes o delitos y sus penas legales. Pág. 44.

colonias-prisión: lugar de encarcelamiento y castigo para los criminales. Desde el siglo XVIII, algunos de los países europeos mandaban a muchos de sus criminales a las colonias, Gran Bretaña a América del Norte y a Australia, y Francia a América del Sur. En algunas colonias-prisión, los prisioneros eran sometidos a condiciones de vida miserables y a trabajos forzados. Pág. 24.

comisión militar: grupo de personas de las fuerzas armadas que están a cargo de ciertas funciones. Pág. 30.

Comisión Real de Canadá: grupo de personas autorizadas por el gobierno de Canadá para encargarse de averiguar y establecer recomendaciones con respecto a un asunto en particular. Pág. 74.

comisionado: 1. (un barco de guerra) preparado para servicio activo equipándolo, dotándolo de tripulación y de mando. *Comisionado a la defensa submarina* se refiere a que se le prepara para el servicio activo como embarcación de defensa submarina, un barco de guerra capaz de defender un área contra el ataque de submarinos enemigos. Pág. 11.

2. oficial gubernamental a cargo de un departamento o distrito. Pág. 111.

compensación: satisfacción que se hace por culpas, daños, etc.; reparación. Pág. 33.

compensatorio: que sirve para reparar los efectos o resultados negativos de otra cosa. Pág. 46.

complementar: añadir a una cosa algo que la realza o mejora. Pág. 24.

computación: acción o resultado de calcular o procesar datos (para encontrar respuestas); acción de pensar. Pág. 53.

concéntrico: se dice de los círculos que tienen un centro común y están, entonces, unos dentro de otros. Pág. 51.

condición: en la Ética de Scientology, una *condición* es un estado de funcionamiento u operación. Una organización, sus partes o un individuo, pasa a través de varios estados de existencia. Si estos no se manejan apropiadamente, tienen como resultado reducción, desdicha, preocupación y muerte. Si se manejan adecuadamente, tienen como resultado estabilidad, expansión, influencia y bienestar. Cada condición tiene una secuencia exacta de pasos, que se conoce como fórmula, que uno puede usar para pasar de la condición en que está a otra condición más alta y más acorde a la supervivencia. Pág. 1.

conejillo de indias: alguien o algo que se usa como sujeto experimental o para cualquier tipo de prueba. Un *conejillo de indias* es un animal pequeño de pelaje abundante y orejas cortas, nativo de Sudamérica, muy usado como mascota y para experimentos científicos. Pág. 68.

Congreso: grupo electo de políticos que es responsable de elaborar las leyes en Estados Unidos. El *Congreso* consta de dos partes: la Cámara de Representantes (el inferior de los dos órganos legislativos) y el Senado (el superior de los dos órganos legislativos). Pág. 46.

consejo de guerra, sujeto a: que comparece ante un *consejo de guerra*, un juicio por un tribunal de oficiales militares o navales nombrado por un comandante para juzgar personas por ofensas contra la ley militar. Pág. 10.

Conservadurismo: una filosofía ideológica o política que se basa en la tendencia de preservar lo que está establecido y en existencia; la inclinación a limitar el cambio. Pág. 30.

Constitución: documento que contiene las leyes fundamentales de Estados Unidos, que se puso en vigor el 4 de marzo de 1789. Establece la forma de gobierno nacional y define los derechos y libertades del pueblo estadounidense. Pág. 37.

constitución: sistema de principios y leyes fundamentales de acuerdo con el que se gobierna una nación. Pág. 44.

contra-supervivencia: término formado a partir de *contra-*, prefijo que indica oposición, y supervivencia. De ahí que contra-supervivencia signifique una negación o ausencia de supervivencia, la acción de continuar vivo, de continuar existiendo, de estar vivo. Pág. 53.

convencionalismo: regla, método o principio de conducta que se establece al usarse por mucho tiempo y la sociedad lo acepta; costumbre. Pág. 17.

convicto, trabajo de: trabajo impuesto a los criminales aparte del encarcelamiento. Pág. 37.

corbeta: navío ligeramente armado y veloz, que se usó especialmente durante la Segunda Guerra Mundial (1939–1945) para acompañar a grupos de embarcaciones que transportaban provisiones y protegerlas de ataques submarinos por parte del enemigo. Pág. 10.

corolario: una situación, hecho, etc., que es el resultado natural y directo de algún otro. Pág. 11.

creación: el mundo y todo lo que contiene. Pág. 14.

credencial: evidencia que confirma la posición o el estatus de alguien, como una insignia, carta o cualquier otra identificación oficial. Pág. 12.

credo: sistema o conjunto de opiniones o creencias religiosas. Pág. 45.

crimen capital: que tiene consecuencias extremas o serias. Pág. 45.

crisis del petróleo: escasez de petróleo que ocurrió en Estados Unidos y en ciertos países europeos a principios de la década de 1970. La causa de escasez fueron principalmente las restricciones impuestas al comercio del petróleo por la Organización de Países Exportadores de Petróleo (OPEP) que regulaban la cantidad de petróleo producido por sus países miembros y fijaban los precios para su exportación. Las restricciones pretendían castigar a Estados Unidos y algunos de sus aliados por su apoyo a Israel en su conflicto de 1973 con los estados árabes. La situación causó un pánico generalizado, una grave escasez de gasolina y un enorme aumento en los precios. La crisis continuó a niveles variables a lo largo de los años sucesivos y para 1980 el precio del petróleo era diez veces más alto que en 1973. Pág. 57.

criterio: estándar que se utiliza para juzgar algo. Pág. 59.

crítico: que tiene una importancia decisiva en el éxito o fracaso de algo. Pág. 15.

cromosoma: estructura en forma de bastoncillos que se encuentra en la parte central (núcleo) de las células de plantas y animales. Los cromosomas llevan los genes que supuestamente determinan el sexo y las características que un organismo hereda de sus padres. Pág. 3.

cuenta (de gastos): registro de los gastos de un empleado durante cierto tiempo. Pág. 3.

Cuerpo de Infantes de Marina: rama de las fuerzas armadas de Estados Unidos que está entrenada para el combate terrestre, marítimo y aéreo, típicamente desembarcando o lanzándose en paracaídas cerca de una zona de combate. Pág. 23.

Cullavagga: escrituras budistas que presentan reglas de conducta para los mojes budistas y procedimientos para resolver las ofensas dentro de la comunidad monástica. Pág. 33.

culminar: llegar una cosa al grado más elevado o significativo que pueda tener. Pág. 32.

cúpula: parte o nivel más alto de algo. Pág. 3.

Darwin: Charles Darwin (1809–1882), naturalista y escritor inglés. Su libro *Sobre el Origen de las Especies* propuso una teoría para explicar la evolución de los seres vivos hasta formas superiores. Pág. 67.

decreto: orden formal y autoritaria, especialmente la que tiene fuerza de ley. Pág. 46.

defensa: pieza de los automóviles colocada en la parte delantera y trasera para amortiguar los efectos de un choque. Pág. 20.

defensa por demencia: prueba legal que usan los tribunales para determinar la responsabilidad criminal. La defensa por demencia se basa en la creencia de que alguien que no es capaz de controlar sus acciones o de entender el grado de criminalidad que hay en ellas debido a una enfermedad mental no debería recibir un castigo basado en el derecho penal. Pág. 74.

deficiencia: defecto o imperfección en cuanto a la conducta, la condición, el pensar, la capacidad, etc. Pág. 51.

degollar: se usa en sentido figurado para referirse a destruir o arruinar a otros. Literalmente, degollar significa cortar la garganta o el cuello de alguien. Pág. 59.

delito muy grave: ofensa seria, como asesinato, robo o algo similar. Los delitos muy graves a menudo se clasifican como delitos que se castigan con más de un año de encarcelamiento. Pág. 45.

delitos empresariales: crímenes como robar fondos, equipo, etc., a una empresa cometidos por profesionistas de negocios al desempeñar sus funciones. Pág. 3.

democracia: sistema de gobierno en el que se da poder al pueblo, quien rige directamente o mediante representantes elegidos libremente, y que se caracteriza por la tolerancia y la libertad de expresión. Pág. 30.

denuncia: acusación o crítica severa. Pág. 8.

Denver: capital del estado de Colorado, al oeste de Estados Unidos. Pág. 3.

deplorando: sentir o expresar una fuerte desaprobación. Pág. 18.

depredación: acto de atacar con violencia. Pág. 80.

depresión: periodo de un drástico declive en la economía nacional, que se caracteriza por una decreciente actividad empresarial, caída de precios y un aumento del desempleo. El periodo de depresión más conocido es el de la Gran Depresión, que ocurrió en la década de 1930. Pág. 53.

deriva, a la: sin dirección o propósito fijo, a merced de las circunstancias. Pág. 76.

descarriado: que se desvía del curso de acción correcto o adecuado. Pág. 62.

destacados: que sobresalen como más importantes. Pág. 44.

Dianética: Dianética es una precursora y subestudio de Scientology. Dianética significa "a través de la mente" o "a través del alma" (del griego *dia,* a través y *nous,* mente o alma). Es un sistema de axiomas coordinados que resuelve problemas relacionados con el comportamiento humano y las enfermedades psicosomáticas. Combina una técnica funcional y un método minuciosamente validado para aumentar la cordura al borrar sensaciones indeseadas y emociones desagradables. Pág. 1.

Dianética Judicial: La Dianética Judicial abarca el campo del arbitrio judicial dentro de la sociedad y entre las sociedades del hombre. Necesariamente abarca la jurisprudencia (la ciencia o filosofía de la ley) y sus códigos, y establece definiciones y ecuaciones precisas para el establecimiento de la equidad (justicia). Es la ciencia del juicio. Pág. 76.

Diez Mandamientos: las diez reglas religiosas de Dios que gobernaban a los antiguos hebreos y que la fe cristiana aceptó más tarde como principios fundamentales. Pág. 87.

dinámica(s): diferentes aéreas o identidades con las que uno debe cooperar para alcanzar una supervivencia optima. La descripción completa de las dinámicas se presenta en el articulo "Ética, La Justicia y las Dinámicas". Pág. 31.

dinámico: activo, enérgico, eficaz, fuerte, que motiva, en oposición a estático. Del griego *dynamikos,* que significa poderoso. Pág. 49.

diplomas de secundaria: documento oficial que otorga una escuela para indicar que alguien ha terminado un curso de estudios o entrenamiento y que ha alcanzado el nivel de competencia requerido. En Estados Unidos la secundaria o *"High School"* es una escuela en la que se cursan del grado 9 al grado 12, o a veces del grado 10 al grado 12. El estudiante normalmente tiene quince años cuando empieza y dieciocho años cuando se gradúa. Pág. 16.

discernimiento: capacidad de distinguir una cosa de otra, y de ver con claridad la naturaleza de una situación o tema. Pág. 51.

doctrina: principio, posición o política particulares que enseñan o propugnan algunos grupos políticos, científicos o filosóficos. Pág. 69.

E

eficacia: capacidad de producir un resultado o un efecto deseado; efectividad. Pág. 68.

electrochoque: descarga de entre 180 y 460 voltios de electricidad a través del cerebro, de sien a sien o desde la frente hasta la parte posterior de uno de los lados de la cabeza. Esto causa una grave convulsión (sacudida incontrolable del cuerpo) o un espasmo (inconsciencia e incapacidad para controlar los movimientos del cuerpo) de larga duración. Pág. 68.

embrollado: enredado en conflictos y problemas. Pág. 63.

empedernido: obstinado o que es improbable que cambie. Pág. 12.

enigma: algo que no se alcanza a comprender o que difícilmente puede entenderse o interpretarse. Pág. 78.

envalentonado: que se le ha infundido valentía o más bien arrogancia. Pág. 21.

eón: periodo inmenso o indefinidamente largo. Pág. 60.

equitativo: justo y razonable de tal manera que da un trato igual a todos. Pág. 35.

escalofriante: que causa un sentimiento de pavor o terror. Pág. 8.

escindir: romper o separar. Pág. 87.

"esnifar nieve": término para alguien que usa cocaína. Pág. 23.

especie: grupo o clase de animales o plantas que tienen ciertas características comunes y permanentes que los distinguen claramente de otros grupos, y que pueden reproducirse entre ellos. Pág. 56.

espejismo: algo que falsamente parece ser real. Literalmente, un espejismo es una ilusión óptica de una capa de agua que aparece en el desierto o en una carretera sometida a altas temperaturas; ilusión causada por los rayos de luz que se distorsionan por las capas alternas de aire caliente y frío. Pág. 21.

espiral descendente: cuanto más empeora alguien (o algo), más capacidad tiene para empeorar. *Espiral* se refiere aquí a un movimiento progresivo hacia abajo, e indica un deterioro implacable de la situación, el cual se considera que adopta la forma de una espiral. El término proviene de la aviación, donde se usa para describir el fenómeno de un avión que desciende describiendo una espiral con círculos cada vez más cerrados, como en un accidente o en una acrobacia, que si no se maneja adecuadamente puede resultar en la pérdida de control y en que el aparato se estrelle. Pág. 53.

estandarte: principio que rige, causa o filosofía, del sentido literal de un *estandarte,* una bandera, como la que utiliza un país o un rey en una batalla. Pág. 87.

estático: que permanece en un mismo estado; sin mudanza en él. Pág. 33.

estima: opinión o juicio favorable, respeto o consideración. Pág. 46.

estímulo-respuesta: cierto estímulo (algo que provoca actividad o energía en una persona o cosa, o que produce una reacción en el cuerpo) automáticamente produce una cierta respuesta. Pág. 71.

estructura social: organización de una comunidad de personas que viven en un país o región en particular y que tienen las mismas costumbres, leyes, etc. Pág. 41.

etiqueta: reglas y acuerdos que gobiernan el comportamiento correcto en una sociedad en general o en un grupo o situación social o profesional en particular. Pág. 33.

evangelio: idea o principio que se acepta como verdad incuestionable. Pág. 86.

evocador(a): que trae imágenes vívidas de cosas que no están presentes. Pág. 15.

"Excalibur": manuscrito filosófico de L. Ronald Hubbard escrito en 1938. Aunque no se publicó, el corpus de información que contenía se ha publicado desde entonces en los materiales de Dianética y Scientology. *Excalibur* era el nombre de la espada mágica del rey Arturo, un rey legendario en Inglaterra, que se decía reinó en el siglo V o VI d.C. Pág. 8.

exculpación: librar a alguien de culpa. Pág. 45.

exilio: acción de obligar a alguien a renunciar a ser miembro de un grupo, país, etc., usualmente como castigo. Pág. 46.

expediente: acumulación de registros, informes, datos pertinentes y documentos relacionados con un tema de estudio o investigación. Pág. 11.

extorsión: obtener dinero de alguien mediante la fuerza, amenazas o cualquier otro método injusto o ilegal. Pág. 71.

F

fachada: apariencia de posición social, riqueza, etc., que usualmente se asume o se aparenta. Pág. 21.

falacia: idea falsa o desacertada; error. Pág. 18.

falso testimonio: mentir o declarar algo falso mientras se está bajo juramento en un tribunal. Pág. 88.

falta: ofensa o delito leve. Pág. 45.

fascismo: sistema de gobierno dirigido por un dictador que tiene poder absoluto, que suprime por la fuerza a la oposición y la crítica, y controla toda la industria, el comercio, etc. Pág. 30.

fervor: celo ardiente hacia las cosas de piedad y religión. Pág. 87.

fianza: cantidad de dinero depositada para asegurar la libertad temporal de una persona que está bajo arresto y para garantía de que la persona comparezca ante la corte en una fecha futura. Pág. 37.

filipino: nativo o habitante de las Islas Filipinas. Pág. 37.

Folsom, Prisión: una prisión estatal construida en 1880. Está en la ciudad de Folsom, al norte de California. Pág. 109.

fomentar: promover, impulsar o proteger algo, por ejemplo, en su crecimiento o desarrollo. Pág. 18.

forense: funcionario que es responsable de investigar muertes repentinas, violentas o inusuales. Pág. 8.

fórmula: secuencia exacta de pasos que uno puede usar para pasar de la condición en que está a otra condición más alta y más acorde a la supervivencia. *Véase también* **condición.** Pág. 1.

Franja de Gaza: región de Oriente Medio, entre Israel y Egipto, un área que ha sido el tema de disputa por muchos años. Israel tomó la región de Egipto en 1967, luego, en la década de 1990, el gobierno palestino se apoderó de la franja de Gaza. Pág. 106.

fraternidad: sociedad de hombres que son estudiantes en una facultad o universidad. Pág. 16.

frente(s): áreas donde algo está sucediendo en lo relacionado a un campo concreto de actividad. Pág. 86.

freudiano: típico de las teorías y prácticas de Sigmund Freud, (1856-1939) fundador del psicoanálisis, nacido en Austria, que hacía hincapié en que las memorias inconscientes de naturaleza sexual controlan el comportamiento de una persona. Pág. 68.

fructificar: producir utilidad una cosa. Pág. 107.

fuerzas de ocupación: tropas asignadas a mantener control de una región recientemente conquistada hasta que terminan las hostilidades o se establezca un gobierno. Pág. 29.

galón: banda o cordón de un uniforme que muestra el rango de quien lo usa. Pág. 10.

genocidio: matar deliberadamente a una gran cantidad de personas de un grupo étnico o nación en particular. Pág. 47.

Georgia: estado al sudeste de Estados Unidos, en la costa Atlántica. Pág. 14.

gigante, paso de: se refiere a una gran distancia o intervalo. Pág. 81.

gitanos eslovacos: gente originaria de la India que adoptaron un estilo de vida nómada, inmigrando hacia el este a través de los siglos. Muchos de los gitanos eslovacos viven en la región central del este de Europa. Pág. 106.

Glendale, California: ciudad en el condado de Los Ángeles, al suroeste de California. Glendale es un suburbio residencial de Los Ángeles. Pág. 100.

Gómez: Juan Vicente Gómez (1857–1935), dictador de Venezuela que rigió desde 1908 hasta su muerte en 1935. Descubrió que la fuente de contagio de lepra en el país eran los mendigos, así que los reunió, los puso en dos barcos grandes y luego cuando los barcos estaban en medio del río, los hizo explotar. Pág. 30.

grabación en cinta magnética: grabación de la voz de una persona que luego se puede reproducir para que la escuche un grupo de personas. La *cinta magnética* es una cinta de material delgado, normalmente de plástico, recubierta de una sustancia que contiene partículas de hierro magnetizadas y que se usa para grabar sonidos, como en el caso de casetes de audio. Estas partículas están fijas a la cinta mediante un producto químico. Pág. 80.

grupo de presión: grupo que trata de hacer que se aprueben leyes que le favorecen (mediante promoción, insistencia o intentando influenciar a los legisladores de alguna otra manera). Pág. 41.

Guayana Francesa: anteriormente fue una colonia francesa y ahora es una región administrada por Francia, que se localiza en la costa noreste de América del Sur. Fue conocida por su colonia penal establecida a mediados del siglo XIX, conformada por varias islas y ciertas partes del territorio continental, que se conocían colectivamente como la Isla del Diablo. Francia deportó a las colonias penales a más de setenta mil prisioneros, incluyendo prisioneros políticos, delincuentes habituales y criminales, entre 1852 y los últimos años de la década de 1930. La colonia penal era conocida por sus condiciones horribles, sus castigos duros y la mala nutrición de los que eran asignados a trabajos pesados. Debido a las numerosas muertes por el clima poco saludable y a las pocas posibilidades de escapar, la Isla del Diablo de la Guayana Francesa se llego a conocer como un lugar del que nadie regresaba. El gobierno Francés dejo de mandar prisioneros a la colonia penal en 1938 y fue cerrada a mediados del siglo XX. Pág. 24.

guillotina, preparar cabezas para la: referencia a las ejecuciones que ocurrieron durante la Revolución Francesa (1789-1799), cuando miles de personas fueron decapitadas en la guillotina. Pág. 39.

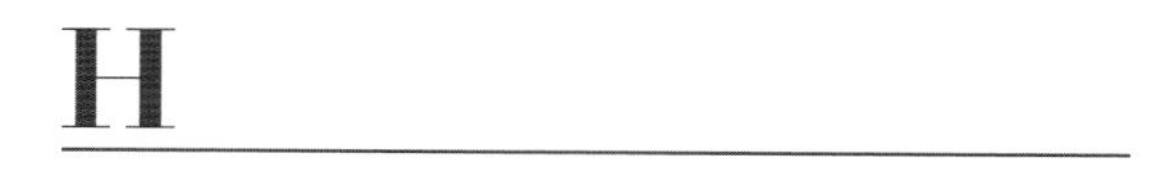

habeas corpus: documento oficial que requiere que una persona sea traída ante un juez o tribunal, especialmente para una investigación relacionada con la restricción de la libertad de la persona, como protección contra un encarcelamiento ilegal. Pág. 45.

Hammurabi: (¿?–1750 a.C.) rey de Babilonia (1792-1750 a.C.) quien expandió su imperio hasta que llegó a ser el primer gran imperio de Babilonia. También compiló una de las primeras colecciones de leyes escritas, que se conocen como el Código de Hammurabi. Pág. 34.

Harlingen, Texas: ciudad portuaria en el sur de Texas cerca de la frontera con México. Su nombre *Harlingen,* proviene de una ciudad en el norte de los Países Bajos. Pág. 104.

heraldo: lo que anuncia con su presencia la llegada de algo. Pág. 89.

Hitler: Adolf Hitler (1889-1945), líder político alemán del siglo XX, que soñaba con crear una raza dominante que gobernaría el mundo durante mil años como tercer imperio alemán. Tomó el control de Alemania por la fuerza en 1933 como dictador, e inició la Segunda Guerra Mundial (1939-1945), sometiendo gran parte de Europa a su dominio y asesinando a millones de judíos y a otros que consideraba "inferiores". Se suicidó en 1945 cuando la derrota de Alemania era inminente. Pág. 61.

"hombre proviene del barro": alusión a la teoría de que el hombre proviene del barro. Según esta teoría, se asegura que en el barro se formaron productos químicos, y que mediante ciertas combinaciones y pautas accidentales, se formó una célula primitiva única. Esta célula primitiva chocó luego con otras células del mismo tipo, y por accidente formaron una estructura más completa de células individuales que se convirtieron en un organismo. Supuestamente, de esta combinación de células, al final se formó el hombre. Pág. 86.

honorable: que tiene o muestra un sentido de lo que es correcto o incorrecto; que se caracteriza por honestidad e integridad. Pág. 15.

humildad: cualidad o condición de estar consciente de sus propios defectos y fracasos o no tener una opinión alta de sus propias habilidades, destrezas, importancia, etc. Pág. 24.

hutu: etnia que forma la mayor parte de la población de Ruanda y Burundi, pequeños países vecinos en la parte central al este de África. Las luchas por el poder, que se extendieron de 1959 hasta la década de 1990 entre los hutus y la tribu rival tutsi, llevaron a una campaña de genocidio contra los tutsis, quienes después tomaron represalias, lo que causó la muerte de cientos de miles de personas. Pág. 111.

I

ideología: doctrinas, opiniones o modo de pensar de un individuo, clase, etc.; especialmente el conjunto de ideas en que se fundamenta cierta teoría o sistema económico o político. Pág. 41.

ilícitamente: en forma *ilícita,* prohibido por ley, las reglas o las costumbres. Pág. 3.

imán para las dificultades: persona que tiende a atraer preocupación e inquietud, disgustos o peligro sobre sí misma. Un *imán* es un mineral u otra materia que tiene la propiedad de atraer al hierro y a otros metales. Pág. 61.

inadaptado: persona que no se adapta bien, especialmente en relación a las circunstancias sociales, del entorno, etc.; incapaz de sobrellevar las dificultades de la vida diaria. En este sentido, *adaptado* significa capaz de enfrentar los factores mentales y físicos de la vida en lo que concierne a las necesidades de la persona o a las de otros. Pág. 71.

incapacidad: falta de capacidad o fuerza; algo que hace que la persona sea incapaz o no apta para algo; resultado de una lesión. Pág. 46.

incontestable: que no se puede impugnar ni dudar con fundamento. Pág. 88.

ineludible: que no se puede evitar. Pág. 33.

infamia: una reputación de maldad, vileza firmemente arraigada y esparcida resultando de algo criminal o brutal. Pág. 30.

infanticidio: práctica de asesinar a los niños recién nacidos. Pág. 53.

infinito: cualidad o estado de una extensión de tiempo, espacio o cantidad ilimitada. Pág. 51.

inmoral: que se opone a la moral y a las buenas costumbres. Pág. 18.

innato: que existe naturalmente; que parece haber existido desde el nacimiento. Pág. 30.

instar: dirigir a alguien para que haga o no haga algo. Pág. 88.

irracionología: palabra inventada que se refiere al estudio de algo sin sentido o a ideas o escritos sin valor. Pág. 21.

Jasov: pequeña ciudad en el este de Eslovaquia, país en el centro de la zona este de Europa. Pág. 106.

jerarquía: cualquier tipo de grupo que controla; cuerpo de personas que tiene autoridad suprema, a veces en un sistema ordenado por rango, grado, clase, etc. Pág. 72.

John Howard Society, The: organización en Canadá que tiene el objetivo de impedir el crimen en la sociedad mediante el desarrollo de alternativas para el encarcelamiento y varios programas de reforma y educación para alentar la participación y la responsabilidad por el sistema judicial. Lleva el nombre de John Howard (1726-1790), filántropo inglés y reformador penitenciario. Pág. 75.

Joliet: ciudad y puerto en el noreste de Illinois sobre el río Des Plaines. Es también el lugar del Centro Correccional de Joliet, la prisión de máxima seguridad más antigua de las cuatro que hay en Illinois. Pág. 7.

Ju Chia: nombre chino para lo que se conoce en los idiomas occidentales como *Confucianismo,* las doctrinas que se basan en las enseñanzas del filósofo Confucio (551-¿479? A.C.). El Confucianismo ha sido una influencia dominante en la jurisprudencia y la educación china por muchos siglos. En su forma más estricta, que apoyaron especialmente los emperadores a partir del siglo XVII, se convirtió en un arma para controlar a la población. Enfatizaba que las personas deben permanecer en sus propias clases sociales (gobernantes, eruditos, trabajadores, etc.) para que la sociedad pudiera gobernarse apropiadamente. Pág. 30.

judicial: sistema de tribunales para la administración de la justicia. Pág. 41.

jurisprudencia: ciencia o filosofía de la ley; conocimiento sistemático de las leyes, costumbres y derechos de los hombres en un estado o comunidad, necesario para la debida administración de la justicia. Pág. 41.

L

laico: relacionado con cosas que no se consideran religiosas o sagradas. Pág. 86.

Leavenworth: base militar y lugar donde se encuentra una cárcel federal. Leavenworth es una ciudad que está en el estado de Kansas. Pág. 23.

libelo: declaración falsa o dañina contra alguien. Pág. 42.

liberalismo: creencia o ideología política que apoya la tolerancia y una reforma gradual en los asuntos morales, religiosos o políticos. El liberalismo rechaza al gobierno autoritario y defiende la libertad de expresión, de asociación y de religión. Pág. 30.

libertinaje: desenfreno, licencia, relajación con respecto a lo que se considera correcto o apropiado. Pág. 59.

licencia: documento que otorga un permiso oficial específico a una persona o grupo para desempeñar alguna ocupación, hacer algo o poseer algo. Pág. 13.

linaje: ascendencia o descendencia de cualquier familia; conexión entre el individuo y sus antepasados o la raza, grupo étnico o región de donde proviene. Pág. 45.

linchar: acto en que una multitud ejecuta a alguien, especialmente por ahorcamiento, sin autoridad legal. Pág. 42.

llave maestra: la que está hecha de tal forma que abre todas las cerraduras de una casa. Se usa en sentido figurado. Pág. 15.

lóbrego(a): oscuro, tenebroso. Pág. 17.

lógico: que tiene que ver con *la lógica,* una escala de gradiente en cuanto a la asociación de hechos de mayor o menor similitud, que se usa para resolver algún problema del pasado, presente o futuro, pero principalmente para resolver y predecir el futuro. La lógica es la combinación de factores para llegar a una respuesta. Pág. 51.

luz empieza a brillar: las cosas se aclaran o se revelan con intensidad repentina. Pág. 18.

M

magistrado: oficial público al que se le ha confiado la administración de la ley; tiene el poder de juzgar delitos leves y llevar a cabo exámenes preliminares de las personas acusadas de crímenes serios. Pág. 45.

Maine Street: estado que se localiza en el extremo norte de la costa este de Estados Unidos. Pág. 10.

malhechor: persona que ha cometido un crimen. Pág. 24.

malicia: deseo de causar daño, lesiones o sufrimiento a otro, ya sea por un impulso hostil, por crueldad o por odio. Pág. 46.

malversar: tomar dinero o propiedades (que otros le han confiado a la persona) para su uso personal sin el permiso o conocimiento de los dueños. Pág. 20.

mandril: tipo de mono grande, fuerte y agresivo originario de África y Asia; tiene un hocico largo (parecido al de un perro), dientes largos, cola corta, y sus brazos son casi tan largos como sus piernas. Los mandriles pesan de 11 a 41 kilos. Pág. 86.

Manhattan, bajo: parte sur de Manhattan, una de las cinco secciones de la ciudad de Nueva York y el centro económico más importante de la ciudad. Pág. 2.

manía persecutoria: conocida también como *complejo de persecución,* sentirse perseguido, sujeto a tratamiento injusto, en especial cuando no se basa en la realidad. Pág. 79.

maquinación: planes secretos, astutos o complicados diseñados para obtener un fin particular. Pág. 35.

marineros hábiles: miembros de la tripulación de un barco que poseen las destrezas y calificaciones básicas para desempeñar deberes marinos habituales. Pág. 9.

materialismo: en filosofía, la teoría de que la materia física es la única realidad, y que todo, incluyendo el pensamiento, la voluntad y el sentimiento, se puede explicar en relación con fenómenos materiales y físicos. Pág. 87.

mazo: pequeño martillo utilizado por un juez, normalmente para llamar la atención o llamar al orden. Pág. 35.

medio(s) diplomático(s): medios de comunicación entre *diplomáticos,* personas que representan los intereses de su país y que viven y trabajan en otros países para mantener relaciones políticas, económicas y sociales. Pág. 107.

MEST: palabra formada por las primeras letras de *Matter, Energy, Space* y *Time (Materia, Energía, Espacio* y *Tiempo* en inglés). Palabra acuñada que significa universo físico. Pág. 50.

metáfora: forma de expresar algo usando una palabra con el significado de otra, porque están muy relacionadas. Por ejemplo, "Un mar de problemas". Pág. 103.

metamorfosis: transformación; cambio de forma, tamaño, estructura, substancia. Pág. 21.

Miami: ciudad, puerto marítimo y zona turística en la costa del océano Atlántico y capital de Florida, en el sureste de EE.UU. Pág. 3.

1789, otro: otra *Revolución Francesa,* revuelta en Francia desde 1789 hasta 1799 que derrocó a la familia real, a la clase aristócrata y al sistema de privilegios que tenían. La revolución fue en parte una protesta contra la monarquía absoluta de Francia, su nobleza firmemente establecida y no productiva, y la consecuente falta de libertad para la clase media. Durante la revolución, miles de personas fueron arrestadas y decapitadas en la guillotina. Pág. 39.

mira: en las armas de fuego, pieza que se coloca convenientemente para asegurar la puntería. Pág. 21.

Montana: estado en el oeste de Estados Unidos en cuya frontera norte se encuentra Canadá. La parte occidental del estado es montañosa, y la parte oriental es un paisaje suavemente ondulado donde hay millones de cabezas de ganado vacuno y ovino. L. Ronald Hubbard vivió en Montana cuando era niño. Pág. 7.

morada de carne: el cuerpo. Pág. 20.

mundo "libre": referencia irónica al *mundo libre,* las naciones del mundo que funcionan principalmente bajo sistemas democráticos más que bajo el totalitarismo o comunismo. Pág. 42.

N

Nagasaki: ciudad portuaria en el sur de Japón sobre la que Estados Unidos dejó caer la segunda bomba atómica que se usó en una guerra el 9 de agosto de 1945, durante la Segunda Guerra Mundial (1939–1945). Causó la muerte de cuarenta mil personas y causó lesiones a un número similar. Pág. 30.

Napoleón: Napoleón Bonaparte (1769-1821), líder militar francés. Ascendió al poder en Francia mediante fuerza militar, se declaró emperador y dirigió campañas de conquista a través de toda Europa. Una derrota en 1814 lo llevó al exilio a una pequeña isla en el noroeste de Italia. Después de un breve regreso al poder y de su derrota final en 1815, fue encarcelado en la pequeña isla montañosa de Santa Elena, al Sur del océano Atlántico. Pág. 61.

Naval School of Military Government (Escuela Naval de Gobierno Militar): escuela de gobierno militar establecida en la Universidad de Princeton en Princeton, Nueva Jersey, EE.UU., en octubre de 1944. El propósito era entrenar a oficiales de la armada y el ejército para proporcionar el personal necesario para actividades de gobierno militar, así como para deberes civiles especializados. Pág. 29.

nazi: miembro del Partido Nacional Socialista Obrero Alemán, que en 1933, bajo el mando de Adolf Hitler, se apoderó del control político del país, suprimiendo toda oposición y estableciendo una dictadura sobre todas las actividades de la gente. Promovió e impuso la creencia de que el pueblo alemán era superior y que los judíos eran inferiores (y que por lo tanto debían ser eliminados). El partido fue abolido oficialmente en 1945 al término de la Segunda Guerra Mundial (1939–1945). *Nazi* viene de la primera parte de la palabra alemana para el nombre del partido, *Nati(onalsozialistische),* que se pronuncia nazi en alemán. Pág. 41.

nebuloso: de manera que muestra falta de comprensión o conocimiento; de manera confusa o errática. Pág. 20.

Neodarwinismo Social: el *Darwinismo Social* es una teoría del siglo XIX según la cual las sociedades y razas humanas siguen las mismas leyes biológicas de selección natural que las plantas y los animales. Según el biólogo inglés Charles Darwin (1809-1882), la selección natural es el proceso en que los organismos que mejor se adaptan a su entorno tienden a sobrevivir y producir más descendencia. En la década de 1960 y 1970, el Neodarwinismo Social adoptó la teoría anterior, tratando de demostrar que la inteligencia y el comportamiento se determinan por la genética más que por las influencias culturales, lo que indica que algunas sociedades o razas están más avanzadas que otras porque sus miembros son biológicamente superiores. Pág. 86.

neuronal: relacionado con un nervio o con el sistema nervioso. Pág. 69.

nómada: gente que va de un lugar a otro a lo largo de estaciones del año en busca de pasto para sus rebaños o de comida y agua. Pág. 87.

novela romántica: novela que narra hechos heroicos o maravillosos, hazañas románticas, usualmente en un marco histórico o imaginario. Pág. 57.

Nueva Orleans: ciudad y puerto en el sudeste de Louisiana en la parte sur de EE.UU. Pág. 3.

obsceno: repugnante y moralmente ofensivo, en especial por mostrar total desprecio por otras personas. Pág. 86.

obtuso: difícil de comprender. Pág. 2.

occidental: de Occidente, los países del oeste de Europa y las Américas. Pág. 2.

oeste, novelas del: relatos que tratan sobre el oeste de Estados Unidos durante el siglo XIX, un periodo de desarrollo y expansión. Pág. 8.

oficial especial: oficial de patrulla con licencia del departamento de policía. Los agentes especiales permanecen en un área concreta para protegerla o patrullan un vecindario para proteger a los comerciantes locales. Están armados, uniformados y en general tienen los mismos deberes que un agente de policía regular cuando están en servicio. Pág. 2.

oratoria: arte de hablar con elocuencia. En este contexto se refiere a un discurso ostentoso, aburrido o demasiado largo. Pág. 17.

orden del día, estar a la: ser muy frecuente, ocurrir de forma habitual. Pág. 40.

organismo: cualquier ser viviente. Pág. 52.

Oriente: los países del este de Asia, especialmente China, Japón y sus vecinos. Pág. 30.

otorgar: dar o presentar algo a alguien. Pág. 35.

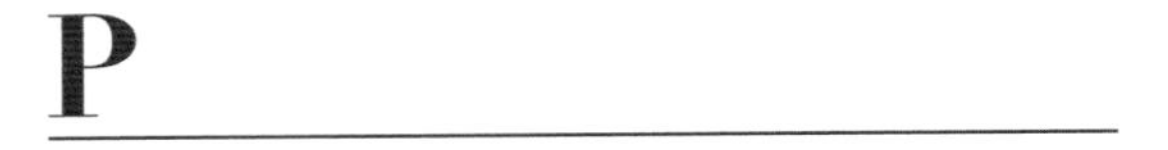

P

Pacífico Sur: región del océano Pacífico que se encuentra al sur del ecuador, incluyendo sus islas, en muchas de las cuales hubo intensos combates en la Segunda Guerra Mundial (1939–1945). Pág. 10.

paradigma: ejemplo que sirve como modelo; pauta. Pág. 68.

parlamento: cámara o asamblea legislativa que se ocupa de asuntos gubernamentales o públicos, como proponer que se corrijan las leyes o se creen leyes nuevas. Pág. 46.

Parris Island: lugar de entrenamiento y reclutamiento del Cuerpo de Infantes de Marina de EE.UU. Parris Island es un grupo de islas en un área de casi 3,000 hectáreas y solo 1,500 de ellas son habitables. Los marinos pasan la mayor parte de su entrenamiento en las partes inhabitables como iniciación al Cuerpo de Infantes de Marina. El lema es: "No entrenamos reclutas... creamos marinos". Pág. 23.

pasión: palabra que cuando se usa en ciertas leyes se refiere a cualquier emoción intensa, como ira, enojo, odio, resentimiento o terror, que causa que la mente sea incapaz de considerar las cosas con calma. Pág. 46.

pasión dominante: objeto principal o predominante de intenso interés en un tema o actividad concretos. Pág. 53.

"Pato Donald, armada tipo": después del ataque a Pearl Harbor por los japoneses (7 de diciembre de 1941) muchas personas se enlistaron en la armada de EE.UU., y en la reserva de la Guardia Costera. A menudo eran asignados a caza submarinos que se acaban de construir, a botes patrulla, a botes de combate, remolques, yates adaptados y otras naves pequeñas. Durante la Segunda Guerra Mundial (1939–1945), la mayoría de estas naves nunca tuvieron nombres sólo números, y los tripulantes de esta flota de barcos pequeños los apodaron "la armada tipo Pato Donald". Pág. 10.

Pavlov: Ivan Petrovich Pavlov (1849-1936) fisiólogo ruso, célebre por sus experimentos con perros. Pavlov enseñaba comida a un perro, mientras hacía sonar una campana. Después de repetir este proceso varias veces, el perro (anticipadamente) segregaba saliva al sonar la campana, tanto si había comida como si no. Pavlov concluyó que todos los hábitos adquiridos por el hombre, incluso sus actividades mentales superiores, dependían de los reflejos condicionados. Pág. 67.

Pekín: nombre anterior de Beijing, capital de China. Pág. 30.

pena capital: castigar un crimen con la muerte; pena de muerte. Pág. 15.

penal: de o relacionado con el castigo por crímenes y ofensas. Pág. 35.

penitenciaría: prisión donde un estado o el gobierno federal de Estados Unidos encarcela a delincuentes que han cometido crímenes graves. Pág. 7.

per cápita: por persona o unidad de población. Pág. 12.

perpetrar: referido especialmente a una falta o a un delito, realizarlo o cometerlo. Pág. 60.

personalidad básica: el individuo mismo. El individuo básico no es algo desconocido y enterrado o una persona diferente, sino una intensificación de todo lo que es mejor y más capaz en la persona. Pág. 11.

persuasión: acción de inducir, mover u obligar a alguien con razones a creer o hacer algo. Pág. 46.

plano: nivel de existencia o pensamiento. Pág. 52.

polisilábico: que consiste en varias sílabas, especialmente cuatro o más. Una sílaba es un grupo de sonidos que se pronuncian en una sola emisión de voz. Pág. 20.

pomposo: que se caracteriza por mostrar exageradamente la importancia o dignidad personal. Pág. 18.

porra: palo corto que un oficial de policía usa como arma. Pág. 14.

Port Orchard: centro turístico y comunidad pesquera en el oeste del estado de Washington en *Puget Sound,* una bahía larga y angosta del Océano Pacífico en la costa noroeste de Estados Unidos. Pág. 37.

Portland: ciudad más grande e importante centro industrial y comercial de Oregon, estado en el noroeste de Estados Unidos. Pág. 9.

Portsmouth, Prisión Naval de: prisión que es parte del astillero naval de Portsmouth; el astillero se construyó en 1790 y se encuentra en Kittery, Maine. Kittery está situada al otro lado de Portsmouth, New Hampshire, sobre el río Piscataqua. Portsmouth y Kittery fueron fundados en 1623 y han sido puertos importantes para la pesca y la construcción de barcos. Pág. 10.

postura: manera de pensar sobre un asunto. Pág. 43.

precedente: ocasión o caso anterior que se toma o que se puede tomar como ejemplo o regla para casos posteriores, o mediante el cual se puede apoyar o justificar algún acto o circunstancia similar. Pág. 32.

precepto: regla, instrucción o principio que guía las acciones de alguien, especialmente en el comportamiento moral. Pág. 88.

premisa: algo que se supone es verdad y se usa como base para desarrollar una idea. Pág. 14.

preparar cabezas para la guillotina: referencia a las ejecuciones que ocurrieron durante la Revolución Francesa (1789-1799), cuando miles de personas fueron decapitadas en la guillotina. Pág. 39.

primigenio: primero o más temprano; primitivo; que se relaciona con las etapas más antiguas de formación (de algo). Pág. 87.

Procesamiento de Grupo: procesamiento que entrega un solo auditor a un grupo de individuos en una sala. Un auditor es un practicante de Dianética o Scientology. La palabra *auditor* quiere decir alguien que escucha; un oyente. *Véase también* **proceso.** Pág. 80.

proceso: un *proceso* es una serie sistemática y técnicamente exacta de pasos, acciones o cambios para producir un resultado concreto y preciso. En Scientology, el procesamiento es la aplicación de procesos por parte de un profesional para ayudar a una persona a descubrir más acerca de sí misma y de su vida y mejorar su condición. La acción de aplicar un proceso o procesos se llama procesamiento. Pág. 81.

procesos de negociación: acuerdos entre el demandante y el acusado, en los que se permite al acusado declararse culpable de un crimen menos grave en lugar de correr el riesgo de que se le acuse de un crimen más grave y así evitar un juicio largo, o para conseguir la cooperación del acusado como testigo. Pág. 35.

proliferación: expansión o crecimiento rápido de algo (que a menudo es excesivo). Pág. 85.

proliferación urbana: se refiere a la expansión de una ciudad a zonas de la campiña que la rodean. Pág. 12.

propensión: inclinación o tendencia natural o habitual. Pág. 67.

pro-supervivencia: de *pro-*, a favor de, y *supervivencia.* Por tanto, *pro-supervivencia* es algo a favor o en apoyo de la *supervivencia,* el acto de seguir vivo, de continuar existiendo, de estar vivo. Pág. 59.

prueba de fuego: prueba o experiencia inicial que es muy severa. Pág. 23.

psicobalbuceo: escritura o charla que, usando el lenguaje y los conceptos de la psicología o la psiquiatría, es trillado, superficial y deliberadamente confuso. Pág. 68.

psicología evolutiva: teoría de la psicología que se concentra en datos tomados del campo de la biología, tratando de demostrar la forma en que la evolución da forma al comportamiento, al aprendizaje, a la percepción, a la emoción, etc. Pág. 86.

psicópata: persona cuyo comportamiento es en gran medida antisocial y carente de moral, y que se caracteriza por su irresponsabilidad, falta de remordimiento y vergüenza, comportamiento criminal y otros defectos graves de la personalidad, generalmente sin síntomas ni ataques psicóticos. Pág. 75.

"Psicópata Sexual Criminal": etiqueta psiquiátrica atribuida a alguien, que habiendo cometido un crimen sexual (como violación, abuso a menores, exhibicionismo, etc.) se le ingresa en una instalación psiquiátrica para recibir "tratamiento", en lugar de ir a prisión, con la justificación de que sufre un trastorno mental junto con una inclinación criminal a cometer tales ofensas sexuales. Pág. 75.

psicoquirúrgico(a): que tiene que ver con la *psicocirugía,* el uso de la cirugía cerebral como supuesto tratamiento para trastornos mentales. Pág. 68.

psicosomático: *psico* se refiere a la mente, y *somático* se refiere al cuerpo; el término *psicosomático* quiere decir que la mente hace que el cuerpo enferme o se refiere a dolencias creadas físicamente en el cuerpo por la mente. La descripción de la causa y fuente de las enfermedades psicosomáticas se encuentra en *Dianética: La Ciencia Moderna de la Salud Mental.* Pág. 11.

psicotrópico: que afecta la actividad mental, el comportamiento o la percepción. Pág. 47.

puerta giratoria: cualquier sistema en el cual la gente entra y sale, como un sistema de justicia criminal que pone a los ofensores en prisión y luego los vuelve a encarcelar. Pág. 16.

R

racionalidad: capacidad de llegar a conclusiones que permiten a la persona comprender el mundo a su alrededor y relacionar ese conocimiento con la consecución de objetivos personales y comunes; capacidad de razonar o estar en conformidad con lo que dicta la razón que es correcto, prudente, sensato, etc. Pág. 1.

razonable: que emplea o muestra razonamiento o sano juicio; sensato. Pág. 46.

reactivamente: de forma irracional; de una manera que muestra que uno está afectado por la *mente reactiva,* la porción de la mente de una persona que funciona a base de estímulo-respuesta total (si se le da cierto estímulo, da cierta respuesta), que no está bajo su control voluntario, y que ejerce fuerza y poder de mando sobre su consciencia, propósitos, pensamientos, cuerpo y acciones. Pág. 60.

reconfortante: que da ánimo o confianza. Pág. 76.

recurso: las formas en que uno puede conseguir ayuda o una solución a un problema. Pág. 42.

reformatorio: establecimiento donde se intenta corregir y educar a menores de edad que han cometido algún delito. Pág. 23.

Regla de Oro: regla de conducta ética que establece el código moral no religioso de *El Camino a la Felicidad,* dice: "Intenta no hacer a otros lo que no te gustaría que te hicieran a ti". Pág. 113.

reincidencia: hecho de repetir o recaer habitualmente en hábitos criminales. Pág. 16.

remordimiento: desasosiego mental o emocional, culpa, pesar o algo similar. Pág. 21.

reprimir: mantener bajo control; dominar. Pág. 79.

reputación: opinión que se tiene de alguien o algo. Pág. 45.

rescate: cantidad de dinero que se pide o se paga por la libertad de alguien que ha sido secuestrado. Pág. 47.

revista *Freedom:* revista publicada por la Iglesia de Scientology desde 1968 que es famosa por la forma en que pone al descubierto los abusos contra los derechos humanos y por su periodismo de investigación. *Freedom* ha revelado importantes historias sobre la medicación forzada de niños en las escuelas, y la experimentación del gobierno en relación con la guerra química y biológica. Pág. 40.

Ripley, Robert: (1890-1949) dibujante de cómics y artista estadounidense que se hizo famoso por su historieta *"Believe It or Not" (Aunque Usted No lo Crea)*. Las historietas presentaban hechos, rarezas y sucesos extraños de todo el mundo. Pág. 18.

ritual: **1.** Práctica o pauta de comportamiento que siempre se lleva a cabo de una manera específica. Pág. 35. **2.** Conjunto de acciones fijas, y en ocasiones palabras, que se usan regularmente, en especial como parte de una ceremonia religiosa o costumbre social. Pág. 67.

Roma: ciudad (y más tarde, el imperio) de la antigua Roma, que en su apogeo incluía a la Europa occidental y meridional, Gran Bretaña, el Norte de África y los territorios orientales del Mar Mediterráneo; persistió desde el año 500 A.C. hasta el siglo IV d.C. Los últimos años del imperio (el siglo IV y parte del siglo V), las condiciones comenzaron a decaer marcadamente debido a la desintegración económica, los emperadores débiles, las tribus invasoras y el hecho de que el gobierno central proporcionara pocos servicios y escasa protección mientras que exigía mayores impuestos. Pág. 85.

S

Sabbat: sábado, el séptimo día de la semana, considerado por los judíos como un día para rendir culto y para descansar del trabajo. Esta práctica se relaciona con la historia bíblica de la Creación, en la que Dios creó el mundo en seis días y descansó en el séptimo. Algunos cristianos también consideran el sábado como un día sagrado, aunque la mayoría considera que es el domingo. La palabra proviene del hebreo, *shavat,* que significa descansar o cesar. Pág. 87.

Saint Louis: ciudad y puerto en la parte este del estado de Missouri, a orillas del río Mississippi. Pág. 3.

Salud Mental, grupos "Nacionales" de: referencia a las *Asociaciones Nacionales de Salud Mental,* organizaciones privadas con fines de lucro establecidas en diversos países. Están bajo la Federación Mundial de Salud Mental. Trabajan para lograr que se aprueben leyes que permitan a los psiquiatras detener con toda libertad a la gente e internarla en hospitales mentales. Al utilizar la palabra nacional en su nombre, estos grupos aparentan ser parte de un gobierno, pero no lo son. Pág. 72.

Savannah: puerto marítimo en la costa atlántica de Georgia, estado en el sureste de Estados Unidos. Pág. 14.

Scientology: Scientology es el estudio y tratamiento del espíritu con relación a sí mismo, los universos y otros seres vivos. La palabra Scientology viene del latín *scio,* que significa "saber en el sentido más pleno de la palabra" y la palabra griega *logos,* que significa "estudio". En sí, la palabra significa literalmente "saber cómo saber". Pág. 1.

sedante: droga que se usa principalmente para provocar somnolencia y sueño. Los sedantes pueden causar graves problemas de adicción. Pág. 62.

segregación: separación de una persona, grupo o cosa de otras; la división de gente o cosas en grupos separados que se mantienen apartados. Pág. 78.

sentencia: tiempo que alguien debe permanecer en prisión. Pág. 3.

ser: una persona; una identidad. Pág. 7.

Ser Supremo: Dios, considerado como el creador y soberano del universo. Pág. 49.

servicio, hoja de: registro del trabajo que una persona ha desempeñado en la milicia. Por ejemplo, una hoja de servicio naval contiene documentos como el acta de nacimiento, diplomas escolares, cartas de recomendación, contrato de reclutamiento, historial de puestos asignados, registro de desempeño, registro médico, rango, etc. Pág. 10.

Shanghai: puerto marítimo y ciudad más grande de China, localizada en la costa este del país. Shanghai es un centro industrial, comercial y financiero. Pág. 30.

símbolo de infinito (∞): símbolo matemático que representa el infinito. Pág. 51.

Sing Sing: cárcel muy conocida en el estado de Nueva York en el pueblo de Ossining, al norte de la ciudad de Nueva York, que fue construida en 1820. Se le conoce por su disciplina extrema, y en ella han sido ejecutadas cientos de personas con pena capital. Pág. 8.

singular: excepcional, único. Pág. 2.

social: que forma o tiende a formar relaciones de cooperación e interdependencia con sus semejantes; que se relaciona con el bienestar de los seres humanos como miembros de la sociedad. Pág. 12.

sociobiólogo: especialista en *sociobiología,* el estudio del comportamiento social de los animales, haciendo hincapié en el papel del comportamiento en la supervivencia y la reproducción. Pág. 86.

sociológico: que tiene que ver con la *sociología,* la ciencia o el estudio del origen, desarrollo, organización y funcionamiento de la sociedad humana; la ciencia de las leyes fundamentales de las relaciones, instituciones sociales, etc. Pág. 2.

sociopático: relacionado con un *sociópata,* alguien cuyo comportamiento es en su mayoría criminal, antisocial, carente de moralidad, y que no tiene sentido alguno de responsabilidad, remordimiento o vergüenza. Pág. 3.

solitario: característico de un animal que vive separado de otros de su clase y que tiene tendencias malvadas o destructivas. Pág. 68.

subrepticiamente, huir: abandonar un lugar de manera abrupta o secreta; irse. Pág. 43.

subvertir: trastornar, revolver, destruir. Pág. 46.

suministrar: acto o proceso de proveer o proporcionar algo para su uso. Pág. 47.

supervivencia según la ley del más fuerte, la: teoría según la cual existen causas naturales por las cuales los individuos de una especie que mejor se adaptan al entorno tienden a preservarse y a transmitir sus características (mediante la reproducción), mientras que aquellos que menos se adaptan se extinguen, de modo que en el curso de las generaciones, el grado en que se adaptan al entorno tiende a aumentar progresivamente. Pág. 87.

suprimir: aplastar, impedir, minimizar, rehusarse a permitirle alcanzar, hacer que esté incierto acerca de su alcance, anular o reducir en cualquier forma posible, por cualquier medio posible, para perjuicio del individuo y para la protección imaginaria del supresor. Pág. 54.

T

Tabla de Evaluación Humana: tabla exhaustiva desarrollada por L. Ronald Hubbard que consta de muchas columnas que contienen la mayoría de los componentes de la mente humana y todos aquellos que son necesarios para procesar a un individuo. La tabla da la reacción y el comportamiento de los seres humanos en diversos niveles de aberración, y con ella se puede diagnosticar, evaluar y predecir con precisión el comportamiento humano. *La Tabla Hubbard de Evaluación Humana* se describe en detalle en el libro *La Ciencia de la Supervivencia.* Pág. 31.

tabulados: hechos, estadísticas, etc., que se presentan en una tabla, en columnas o en otra forma sistemática y organizada. Pág. 18.

Tao: el *Tao te ching,* doctrina y filosofía escrita en forma de verso por Lao Tse (siglo VI A. C.) Literalmente significa "el camino" y es el fundamento del *taoísmo,* una filosofía china que aboga por una vida sencilla y por una política de no interferencia con el curso natural de las cosas. Pág. 30.

Taoísmo: religión y filosofía china que se basa en las doctrinas de Lao Tse (siglo VI A.C.), uno de los grandes filósofos de la China. El taoísmo aboga por una vida sencilla y por una política de no interferencia con el curso natural de las cosas. *Tao* literalmente significa "el camino". Pág. 30.

Tasmania: estado en el sureste de Australia que abarca la isla de Tasmania y muchas otras islas más pequeñas que se extienden en un área de 240 kilómetros al sur de Australia. En el siglo XIX ahí estaba la colonia penal de Puerto Arturo, en la que llegó a haber hasta dos mil prisioneros y era conocida por su disciplina severa. Pág. 24.

tecnología: métodos para la aplicación de un arte o una ciencia, en contraste con el mero conocimiento de la ciencia o del arte en sí. En Scientology, el término *tecnología* se refiere a los métodos de aplicación de los principios de Scientology para mejorar el funcionamiento de la mente y rehabilitar el potencial del espíritu. Pág. 1.

Tel Aviv: ciudad en la parte central occidental de Israel, frente al mar Mediterráneo. Pág. 103.

teoría de herencia: teoría según la cual las tendencias criminales se deben a la *herencia,* el pasar características físicas y mentales de una generación a otra a través de los genes. Pág. 24.

teórico en leyes: alguien que trata principalmente con la filosofía de la ley con el fin de llegar a un entendimiento de la naturaleza de la ley, los principios de lo correcto e incorrecto y los sistemas e instituciones legales. Pág. 74.

Tercer Reich: término adoptado por Adolf Hitler durante la década de 1920 para describir el régimen milenario que él quería crear en Alemania conquistando Europa. *Reich* es una palabra en alemán que significa estado o imperio. Pág. 86.

termita(s): insecto de color pálido y cuerpo suave que vive en colonias y se alimenta de madera. Algunas especies son muy destructivas para las estructuras de madera y para los árboles. Pág. 87.

territorios ocupados: regiones que están bajo el control de las fuerzas de ocupación. *Véase también* **fuerzas de ocupación.** Pág. 29.

tesorería pública: fondos públicos o ingresos de un gobierno, o el lugar donde se reciben, se conservan, se desembolsan y se lleva registro de ellos. Pág. 18.

Texas: estado situado en el sudoeste de Estados Unidos. Pág. 104.

tiránico(a): injustamente cruel, duro o severo; arbitrario u opresivo. Pág. 20.

tono emocional: con *tono* se quiere decir el estado emocional momentáneo o continúo de una persona. Las emociones como miedo, enojo, pesar, entusiasmo y otras que la gente experimenta se muestran en una escala, la *Escala Tonal,* que indica cómo se comporta la gente. Si alguien se encuentra en cierto nivel de la Escala Tonal, entonces se comporta de cierta forma y uno puede predecir cómo se comportará. Pág. 31.

toque, tener un: lo que da un carácter especial a algo. Pág. 77.

tórtolos: pareja de enamorados. Pág. 21.

trabajo forzado: trabajo manual impuesto a los prisioneros. Pág. 37.

traficar: comerciar, negociar, particularmente con algo ilegal o de forma irregular. Pág. 59.

tranquilizante: droga de acción supuestamente calmante. Pág. 62.

tribunal de libertad condicional: grupo de personas que tienen la autoridad de conceder a un recluso una liberación anticipada de prisión bajo palabra. *Libertad condicional* significa una liberación bien sea temporal para un propósito especial o permanente antes de terminar la sentencia de cárcel, bajo la promesa de buen comportamiento. Pág. 23.

tribunal menor: tribunal cuyas decisiones están sujetas a revisión o apelación por parte de un tribunal superior; el primer tribunal que escucha o juzga los casos. Pág. 45.

tribunal superior: cualquier tribunal que puede escuchar y decidir sobre casos de otros tribunales; tribunal de apelación. Pág. 37.

Tribunal Supremo: tribunal más alto en Estados Unidos. El Tribunal Supremo consiste en nueve jueces designados por el presidente, que toman decisiones sólo en cuestiones constitucionales. Pág. 88.

tubo de ensayo sagrado: en sentido figurado, el culto a todas las cosas científicas y la negación del espíritu, como lo da a entender la psiquiatría. Literalmente, *sagrado* significa digno de veneración, como algo sagrado. Un tubo de ensayo es un cilindro hueco de cristal fino con una parte cerrada, que se usa en experimentos y análisis químicos y biológicos. Pág. 87.

tutsi: etnia de África que vive principalmente en Burundi y Ruanda, dos naciones de África central. Los tutsis son un grupo minoritario, pero que tradicionalmente ha ejercido el poder. Las luchas entre ellos y los hutus, que son más numerosos, ha llevado a cientos de miles de muertes desde mediados de la década de 1990. Pág. 111.

U

uniforme azul reglamentario: uniforme de un marinero con pantalón azul, camisa de manga larga con un amplio cuello cuadrado a la espalda. Pág. 10.

Universidad de Princeton: importante universidad de Estados Unidos ubicada en Princeton, Nueva Jersey (estado en el este de Estados Unidos). En los años 40, tenía una Escuela de Gobierno para formar a los oficiales de la armada y del ejército con el fin de proporcionar el personal necesario para actividades gubernamentales militares. Pág. 29.

usurpar: apoderarse de una propiedad o de un derecho que legítimamente pertenece a otro, por lo general con violencia. Pág. 88.

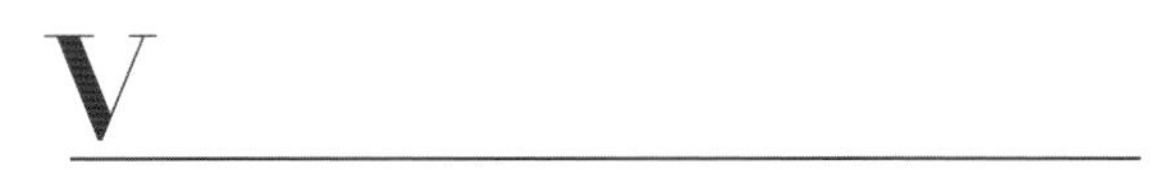

vacunar: proteger con una *vacuna;* inyectar una forma debilitada de una enfermedad para aumentar las defensas del cuerpo contra esa enfermedad. Pág. 20.

vehemencia: el estado o cualidad de estar *vehemente,* expresar algo con convicción o un sentimiento intenso. Pág. 30.

Vietnam: país tropical del sudeste Asiático, escenario de una guerra a gran escala de 1954 a 1975 entre Vietnam del Sur y Vietnam del Norte (este último controlado por los comunistas). Estados Unidos entró a esta guerra a mediados de la década de 1960 dándole su apoyo al Sur. A finales de la década de 1960, debido a la duración de la guerra, al alto número de bajas estadounidenses y a la participación de Estados Unidos en crímenes de guerra contra los vietnamitas, la participación estadounidense se hizo más y más impopular en Estados Unidos y fue objeto de duras protestas. En 1973, a pesar de que continuaban las hostilidades entre Vietnam del Norte y del Sur, Estados Unidos retiró todas sus tropas. Para 1975, los comunistas habían invadido Vietnam del Sur y la guerra se dio oficialmente por terminada, llevando a la unificación del país (1976) como la República Socialista de Vietnam. Pág. 57.

Vinaya Pitaka: escrituras que contienen las reglas de conducta que gobiernan a los monjes y monjas budistas. Consta de más de 225 reglas (cada una acompañada por un relato que explica la razón original de esa regla) que están ordenadas de acuerdo con la seriedad de la ofensa que resulta de su violación. El nombre *Vinaya Pitaka* significa "canasta de disciplina". Pág. 33.

vindicativo(a): inclinado a tomar venganza; vengativo. Pág. 44.

virus: cualquier cosa que corrompe o envenena la mente; maligno o de influencia dañina. Pág. 20.

vociferante: característico de expresar opiniones, quejas o demandas a grandes voces, en forma ruidosa e insistente. Pág. 3.

Wilson, Edward O.: Edward Osborne Wilson (1929-), biólogo estadounidense, conocido por su investigación sobre las hormigas, señalando un paralelismo entre ellas y el comportamiento humano. Pág. 86.

Wundt: Wilhelm Wundt (1832-1920), psicólogo y fisiólogo alemán; creador de la psicología moderna y de la doctrina falsa según la cual el hombre no es más que un animal. Pág. 67.

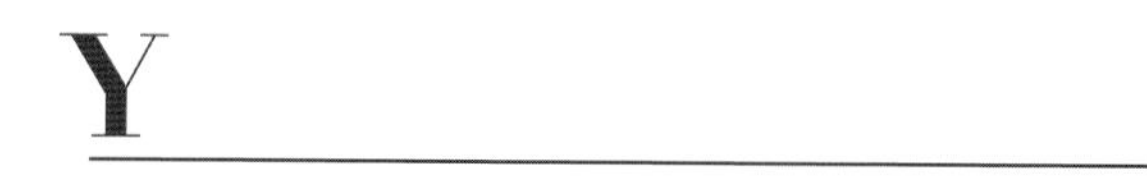

YP: denominación para un *patrullero (yard patrol)* en relación con un buque patrullero, como el asignado para escoltar a los barcos en un muelle o área. Pág. 11.

ÍNDICE TEMÁTICO

A

C

D

E

F

G

H

O

P

Q

R

S

T

LA COLECCIÓN DE

L. RONALD HUBBARD

"Para realmente conocer la vida", escribió L. Ronald Hubbard, "tienes que ser parte de la vida. Tienes que bajar y mirar, tienes que meterte en los rincones y grietas de la existencia. Tienes que mezclarte con toda clase y tipo de hombres antes de que puedas establecer finalmente lo que es el hombre".

A través de su largo y extraordinario viaje hasta la fundación de Dianética y Scientology, Ronald hizo precisamente eso. Desde su aventurera juventud en un turbulento Oeste Americano hasta su lejana travesía en la aún misteriosa Asia; desde sus dos décadas de búsqueda de la esencia misma de la vida hasta el triunfo de Dianética y Scientology, esas son las historias que se narran en las Publicaciones Biográficas de L. Ronald Hubbard.

Tomada de la colección de sus propios archivos, esta es la vida de Ronald como él mismo la vio. Cada número se enfoca en un campo específico y proporciona los hechos, las cifras, las anécdotas y fotografías de una vida como ninguna otra:

Aquí está la vida de un hombre que vivió por lo menos veinte vidas en el espacio de una.

PARA MÁS INFORMACIÓN, VISITA:
www.lronhubbard.org.mx

The L. Ron Hubbard Series DIANETICS LETTERS & JOURNALS
The L. Ron Hubbard Series ADVENTURER/EXPLORER DARING DEEDS & UNKNOWN REALMS
The L. Ron Hubbard Series EARLY YEARS OF ADVENTURE LETTERS & JOURNALS
The L. Ron Hubbard Series WRITER THE SHAPING OF POPULAR FICTION
The L. Ron Hubbard Series LITERARY CORRESPONDENCE LETTERS & JOURNALS
The L. Ron Hubbard Series POET/LYRICIST THE AESTHETICS OF VERSE
The L. Ron Hubbard Series MUSIC MAKER COMPOSER & PERFORMER
The L. Ron Hubbard Series PHOTOGRAPHER WRITING WITH LIGHT
The L. Ron Hubbard Series HORTICULTURE FOR A GREENER WORLD
The L. Ron Hubbard Series MASTER MARINER AT THE HELM ACROSS SEVEN SEAS
RON
The L. Ron Hubbard Series
A PROFILE

Para pedir copias de *La Colección de L. Ronald Hubbard* o para libros o conferencias de L. Ronald Hubbard sobre Dianética y Scientology, contacta:

EE.UU. e Internacional

Bridge Publications, Inc.
5600 E. Olympic Blvd.
Commerce, California 90022 USA
www.bridgepub.com
Tel: (323) 888-6200
Número gratuito: 1-800-722-1733

Reino Unido y Europa

New Era Publications
International ApS
Smedeland 20
2600 Glostrup, Denmark
www.newerapublications.com
Tel: (45) 33 73 66 66
Número gratuito: 00-800-808-8-8008